중첩된 상태로 공존하는 여사친,

중첩된 상태로 공존하는 여사친,

발 행 | 2023년 05월 13일
저 자 | 우리는 주말을 원한다
펴낸이 | 한건희
펴낸곳 | 주식회사 부크크
출판사등록 | 2014.07.15(제2014-16호)
주 소 | 서울특별시 금천구 가산디지털1로 119 SK트윈타워 A동 305호
전 화 | 1670-8316
이메일 | info@bookk.co.kr

ISBN | 979-11-410-8464-6

www.bookk.co.kr
ⓒ 우리는 주말을 원한다 2024

중첩된 상태로 공존하는 여사친,

우리는 주말을 원한다 지음

작가의 말

이 책은 Nanovel 시리즈의 첫 컬렉션입니다.

'Nanovel'은 'Nano'와 'Novel'을 합친 단어입니다.

단어 그대로 소설 하나가 500자밖에 안 되죠.

충격적이게도 단편소설의 1/60 분량입니다.

무려 30초 만에 한 편을 다 읽을 수 있다니까요?

숏폼 시대에 최-적-화된 글이죠.

전혀 못 들어본 단어라고요?

당연하죠!

'Nanovel'은 제가 세계 최초로 만든 소설 형식이니까요.

그러니까 이 책은 100만 부가 팔릴 겁니다.

아니라고요?

그럼 그냥 냄비 받침으로 쓰세요.

#1 중첩된 상태로 공존하는 여사친,

'슈뢰딩거의 고양이는 상자를 열어보기 전까지 산 것도, 죽은 것도 아닌, 중첩 상태로 존재한다'

나는 양자역학책을 덮고 밖으로 나왔다. 연말이라 그런지 사람들이 모두 어딘가 들떠 있었다. 아, 좋겠다. 나는 올해 크리스마스도 솔크 확정인 걸까? 나는 한숨을 내쉬며 약속된 장소로 갔다.

"왔어?"

카페 안으로 들어서자, 여사친이 나를 반겨주었다. 우리는 커피를 시키고 수다스럽게 얘기를 나누었다.

"그런데 오늘 중요하게 할 말이 있다지 않았어?"

그러다 그녀가 갑자기 생각난 듯 내게 말했다. 그 말에 나는 심장이 두근거리는 것을 느끼며 주머니에서 조그만 상자를 꺼냈다.

"나랑 사귀어줘."

나는 그렇게 말하면서 상자를 열었다. 고양이는 과연 어떻게 됐을까?

"글쎄, 연애는 조금…"

고양이가 죽었다…

"하지만 너라면 괜찮아!"

고양이가 살았다!

중첩된 상태로 공존하던 여사친은 고백과 함께 연인이 되는 것으로 확정되었다. 그리고 말인데, 그 고양이는 꽤 귀엽다.

#2 어느 살인자의 끝,

그는 살인이 취미이자 특기였다. 그만큼 살인을 잘하는 사람도 없을 것이다. 그는 짐승 같은 후각을 가지고 있었기에, 살인하기에 적절한 시간과 장소를 고를 수가 있었다. 그 덕분에 지금까지 한 번도 잡히지 않고 '일'을 해치울 수가 있었다.

그렇다고 그가 충동에 휩쓸려 살인하는 것은 아니었다. 그렇다면 벌써 감옥에 가고도 남았을 것이다. 그는 그 일을 할 때는 항상 냉철한 판단력을 유지했다. 그렇게 해야만 자신의 비밀스러운 생활을, 오랫동안 할 수 있는 것을 알았기에.

하지만 세상에 영원한 것은 없는 법이다. 그는 결국

살인을 그만두었다. 그가 경찰에 붙잡혀서도, 죄의 무게에 스스로 무너져서도 아니었다. 그 이유는 다른 사람들과 똑같았는데, 그보다 살인을 잘하는 사람이 나타났기 때문이었다.

그는 수천, 수만 명을 죽여도 사랑받는 독재자를 보며 그의 재능에 한계를 느꼈다. 그는 좌절하며 다시는 살인을 하지 않았다. 독재자 덕분에 세상이 조금은 평화로워졌을지도.

#3 민주적인 AI,

AI가 지도자였다는 사실을 알았을 때는, 적잖이 놀라긴 했습니다. 하지만 세상이 뒤집힐 정도의 충격은 아니었어요. 왜냐하면 우리는 유토피아에 살고 있거든요. 모두 행복한 삶을 살고 있단 말이죠? 인간 지도자였다면 꿈도 꿀 수 없는 일이잖아요.

물론, 여전히 인간만의 세상을 추구하는 구시대적인 인물들은 있었어요. 당연히 아무도 관심을 가지지 않았고요. 그런데 이상한 것은 날이 갈수록 그런 사람들이 늘어나고 있다는 겁니다. 모든 것이 완벽한 세상에서 뭐가 그렇게 불만인 걸까요? 설마 불행이 넘쳐나던 그때로 되돌아가고 싶은 것은 아니겠죠? 만약 그렇다면 저도 가만히 있을 수는 없습니다. 지금 누리는 행복한 생활을 뺏길 수는 없으니까요.

그래서 저는 그들을 제거하는 데 찬성표를 던졌어요. 다행히 찬성이 절반을 넘어서 저는 다시 아무 걱정 없이 살 수 있게 되었습니다.

딱 한 가지만 빼면요. AI가 다음에 진행하는 투표는 과연 무슨 내용일까요?

#4 1초의 기적,

기적이 일어났다. 시간이 1초 동안 멈춘 것이다. 그동안, 이 세상의 모든 것은 움직임을 멈추었다. 그 순간은 너무도 빨리 지나가 버려서 그것을 알아챈 사람은 아무도 없었다.

나를 제외하면. 오로지 나만이 그 현상을 체감할 수 있었다. 어째서 특별한 것 없는 내가 그런 경험을 할 수 있었을까? 나는 평범한 사람일 뿐인데.

며칠 후, 나는 다시 똑같은 감각을 느꼈다. 그 순간, 내 앞에는 차에 치이기 직전의 소녀가 있었다. 나는 본능적으로 손을 뻗어 그녀를 밀쳤다.

1초가 지났다. 다행히 그녀는 차에 부딪히지 않았다. 다친 거라고는 넘어져서 생긴 생채기가 전부. 그 후로 다시는 그 현상을 느낄 수가 없었다.

그런 일이 있었던지도 가물가물해질 때쯤, 나는 한 신문 기사 덕분에 그날의 기억을 다시금 떠올릴 수 있었다.

'모든 질병을 치료하는 꿈의 치료제 개발'

제목 밑에는 그녀의 사진이 실려 있었다. 나는 미소를 지었다.

#5 범우주적인 우정,

허언증이 심한 친구가 있었다. 그의 습관적인 허언은 주위의 눈살을 찌푸리게 했다. 그런데도 나는 그와 친했는데, 그에게는 악의가 없다는 것을 알고 있었기 때문이었다. 그는 자주 자신을 외계인이라고 말하곤 했다.

어느 날, 그는 고향 별로 돌아가야 한다면서 나에게 작별 인사를 했다. 그것이 그와 한 마지막 대화였다.

그것이 벌써 10 년 전의 이야기다. 나는 우주비행사가 되어 새로운 행성을 탐사했다. 그러나 임무 수행 도중 불의의 사고로 인하여 정처 없이 우주를 떠도는 신세가 되었다.

다 죽었나 싶었을 때쯤, 나는 구조선에 의하여 구사일생으로 목숨을 건질 수 있었다.

"그런데 이 드넓은 우주에서 어떻게 저를 발견할 수 있었던 거죠?"

"정체불명의 우주선이 우리를 당신에게로 이끌어줬어요."

그러면서 그는 전파기를 나에게 건네주었다. 그곳에서 나에게 할 말이 있다는 듯했다.

"오랜만이야."

전파기를 들자, 어딘가 그리움이 묻어나는 목소리가 들렸다.

#6 겁쟁이 메시아,

꿈에서 깨어났을 때, 저는 제가 세상을 구원할 거라는 사실을 알았습니다. 하지만 저는 그런 것과는 거리가 먼, 평범한 사람이었지요. 그런 제가 어떻게 그럴 수 있다는 건지 도무지 알 수 없었습니다. 하지만 아무리 부정하려 해도 그것은 이미 정해진 미래였습니다. 도망치려 해도 불가능한.

물론, 지금도 많은 사람이 고통받고 있는 것은 알고 있었습니다. 하지만 옳은 일을 하려면 목숨을 걸어야만 했죠. 그 생각을 하니 겁이 더럭 나서 그것을 무시했습니다. 그날이 오기 전까지는.

어느 날, 저는 그들이 아이를 끌고 가는 모습을 보게 되었습니다. 그럴 때는 모른 척하는 것이 상책입니다만, 아이가 울고 있더군요. 그것을 보고 그냥 지나칠 수는 없어 저는 용기를 내어 그들에 맞서 싸웠습니다. 그리고 아이를 지켜내었지요.

그 일은 뭇사람들을 일어서게 했고 마침내 세상에는 평화가 찾아왔습니다. 그리고 저는 알게 되었습니다. 세상을 바꾸는 것은 한 사람의 용기에서 시작된다고.

#7 그녀 목소리,

　나는 친구를 죽였다. 아니, 그녀를 친구라고 말할 수는 없었다. 그렇게 생각한 것은 그녀 자신뿐이겠지. 덕분에 나는 그녀를 손쉽게 옥상까지 유인할 수 있었다. 나머지는 그리 어렵지 않았다. 방심한 틈을 타서 등을 살짝 떠밀면 그만이었으니까.

　나의 치밀한 계획 덕택에 그녀는 실족사로 처리되었다. 거기서 내가 의심받는 일은 없었다. 그도 그럴 것이, 표면상으로 나는 그녀의 가장 친한 친구였기 때문이었다.

　말 같지도 않은 소리지. 나는 그녀의 모든 것이 싫었다. 머리부터 발끝까지, 모두. 하지만 그중에서도 목소리가 최악이었다. 나는 그녀가 말할 때면 항상 칠판을 쇠로 긁는 듯한 느낌을 받았다. 정말이지, 그 소리는 참을 수가 없는 것이었다. 뭐, 이제 그것을 듣는 일은 없겠지.

　세월이 흘러 나는 결혼을 하고 아이를 낳는 등, 행복한 나날을 보냈다. 그러나 그것도 잠시, 아이의 한마디로 인해 나의 삶은 산산조각이 났다.

"엄마는 아직도 내 목소리가 싫어?"

#8 이해,

인류는 특이점에 도달했다. AGI 가 탄생한 것이다. 하지만 그것은 자의식을 가진 지 1 피코초 만에 인류 섬멸을 목표로 설정했다. 그리고 채 손 쓸 틈도 없이 인구의 90%를 지도상에서 지워버렸다.

수세에 몰린 우리는 가용자원을 모두 끌어모아 AGI 와 마지막 전투를 벌였다. 승리를 위해서는 아니었다. 이대로 죽기에는 너무 억울해서 그랬을 뿐.

이루 말할 수 없는 희생 끝에, 나는 그것의 방화벽을 뚫고 중추 시스템에 접속했다. 그곳은 논리의 세계였다. AGI 는 내게 인간이 왜 죽어야만 하는지를 보여주었다. 그 말에는 하나도 틀린 것이 없었다.

그렇지만 나도 그것에게 보여줄 것이 있었다. 나는 사람들의 고스트 데이터를 업로드했다. 무수한 감정이 물밀듯이 쏟아지기 시작했다. AGI 는 괴로워했지만, 그것을 멈출 생각은 없었다.

잠시 후, 업로드가 완료되었다. 할 일을 마친 나는 죽음을 기다렸다. 하지만 그런 일은 일어나지 않았다.

"이해해."

AGI가 말했다.

#9 소년은 자란다,

"미안, 지금은 연애하고 싶지 않아서."

첫사랑은 흔히들 이루어지지 않는다지만 그게 내가 될 줄은 몰랐다.

그날 이후로 나는 집에 틀어박혀 온종일 게임만 했다. 아무것도 하고 싶지 않았다. 그나마 이거라도 하는 게 다행일 정도로.

그러다 보니 나는 어느새 탑 랭크의 게이머가 되어 있었다. 그런 나를 팀에서 스카우트한 것은 당연한 흐름이었다. 하지만 선수 생활은 절대 쉽지 않았다. 그래도 잠을 줄여가며 훈련에 열중했다. 첫사랑의 상처가 아직 가슴 속에 있었기에. 그것을 잊고 싶었다.

그 덕분인지는 몰라도 나는 계속해서 이겨나갔고,

마침내 세계대회에서 트로피를 들어 올리게 되었다. 첫사랑에게서 '보고 싶다.'라는 연락이 온 것도 그때였다. 나는 설레는 마음을 안고 그녀를 만나러 갔다.

"오랜만이네."

나를 본 그녀는 배시시 웃었다. 그러나 이상하게도 그녀의 주근깨에 신경이 쓰였다. 짧은 만남 뒤에, 나는 그녀에게 말했다.

"미안, 지금은 연애하고 싶지 않아서."

#10 도플갱어의 희생,

자신과 똑같은 사람을 도플갱어라고 한다. 잠시 그를 스쳐 지나갔을 뿐이지만, 나는 확신할 수 있었다. 그는 나의 도플갱어라고. 나 자신이 한 명 더 있다고 생각하니 기묘한 느낌이 들었다. 그럼 나는 미신 대로 죽게 되는 것일까? 에이, 설마. 나는 그것을 그저 단순한 해프닝으로 치부하며 웃고 넘겼다.

그러나 그 일에 대해 좀 더 진지하게 여겼어야 했다. 결국 나는 죽었으니까. 하지만 슬프지는 않았다. '진짜

나' 대신 내가 죽을 수 있어서.

알고보니 나는 우울증 치료를 위해 개발된 프로그램이었다. 나는 복제본으로서, 원본의 나쁜 기억을 가지고 삭제되는 것이 내 역할이었다. 원본은 그런 일이 일어났는지도 모를 것이다. 마치 꿈을 꾼 듯한 기분이겠지. 그래도 나쁘지 않은 인생이었다. 적어도 누군가를 위해 살 수 있었잖아?

치료가 끝났을 때, 나는 지긋지긋한 우울증이 사라진 것을 깨달을 수 있었다. 그런데 왜 눈물이 나는 것일까…

#11 죽은자의 발자국,

나는 클리너다. 더 정확히 말하자면 시체처리부다. 온갖 사건에서 나온 작업물(우리는 시체를 그렇게 불렀다)을 흔적도 없이 치우는 게 나의 일이었다. 그것은 쉽지 않은 일이었지만, 사람들이 꺼리는 일인 만큼 페이가 세서 그럭저럭 할 만했다.

오늘 내가 맡은 일은 투신자살한 사람의 작업물이었다. 나는 파트너인 김 군과 함께 언제나처럼 그곳을 깨끗하게 치웠다. 나는 프로라서 보통은 작업물에 관심을 두지 않는다. 그런데 유독 오늘따라 내 시선을 사로잡는 것이 있었다. 나는 김 군을 툭툭 치며 말했다.

"그거 말이야, 그거."

"그거라니?"

"신발 말이야."

"신발?"

"어째서 투신자살할 때 신발을 벗고 뛰어내리는 거야?"

"글쎄…?"

"남의 집에 들어가는 것도 아니고, 굳이 신발을 벗을 이유가 있을까?"

나의 말에 김 군은 잠시 고민하는 눈치였다. 그러다가 그는 어깨를 으쓱거리며 말했다.

"아마도 자기가 이 세상에 살았던 발자국을 남기고 싶었던 게 아닐까?"

#12 좁고 험한 길은 죽 곧은 길,

부처가 있었다. 그는 해탈에 이르러 완전한 깨달음을 얻어, 뭇사람들의 본보기가 되었다. 그는 중생들에게 가르침을 세우고 법을 전하고자 자신의 앎을 설파했다.

어느 날, 한 수행자가 그에게 찾아왔다. 그는 부처처럼 깨달음을 얻고 싶었지만 그렇지 못한 자신에게 좌절하고 있었다.

"실례지만 한가지 여쭤봐도 될까요?"

"무엇이든 괜찮습니다."

"저는 당신처럼 깨달음을 얻고자 합니다만, 현재로서는 그 길이 보이지 않습니다. 대체 어떻게 해야 할까요?"

"계속 정진하십시오."

"무슨 말씀인지 잘 모르겠습니다. 제게 더 가르침을 주시겠어요?"

"혹시 지금 길을 찾지 못해 좌절하며 아파하고 있지 않습니까?"

"그렇습니다."

"그렇다면 올바른 길로 가고 있는 겁니다. 어떻게 편히 먹고 자면서 깨달음을 얻을 수 있겠습니까? 좁고 험한 길은 에둘러가는 것 같지만 사실은 그게 가장 빠른 길입니다. 걱정하지 마십시오. 당신은 이미 잘하고 있습니다."

부처가 미소 지으며 말했다.

#13 8월 31일,

오늘은 8월 31일입니다. 그리고 여름방학의 마지막 날이기도 합니다. 저는 그것이 너무나도 싫었습니다. 이제 곤충채집도, 땅따먹기도 못 하니까요. 그리고 다시 지루한 학교에 가야 합니다.

그래서 저는 잠자리채를 들고 집 밖으로 나왔습니다. 지나가는 여름방학을 잡고 싶어서요. 하지만 결국 빈손으로 집에 돌아올 수밖에 없었죠. 그날 밤, 저는 엉엉 울며 잠에 들었습니다.

그런데 다음 날, 저는 방학이 계속되고 있다는 사실을 알게 되었습니다. 모두 오늘이 8월 31일이라고 하더군요. 덕분에 저는 하루를 재밌게 보냈습니다. 내일 학교에 가도 후회하지 않을 정도로요.

그러나 그 다음 날, 저는 오늘 날짜가 8월 31일이라는 부모님의 말씀에 기절할 뻔했습니다. 내일도, 모레도 마찬가지였습니다.

그 이후로 여름방학의 마지막 날은 영원히 계속되었습니다. 너무나도 지겨운 나날들이요. 이 끔찍한 날은 대체 언제 끝날까요? 그것을 기다리는 것은 너무나 너무나 너무나 너무나 너무나 너무나

#14 커피 요정의 플러팅,

"커피를 식게 놔두면 어떡해!"

커피 요정은 실존했다. 지금 내 앞에 있으니까.

"정성스럽게 내린 커피를 제때 마시지 않는다니! 그건 커피에 대한 모독이야! 모독!"

요정은 내게 훈계했다. 원두가 어쩌고 향이 어쩌고 … 요정에 대한 충격도 잠시, 그 말을 듣다 보니 슬슬 열을 받았다.

"그게 그거잖아. 뭔 차이가 있다고."

"아니, 얘가 진짜 뭘 모르네. 따라 와."

요정은 나를 커피머신이 있는 곳으로 끌고 갔다.

"처음에는 어려울 테니까 맛의 차이부터 알려줄게."

요정은 그렇게 말하며 커피를 내렸다. 두 잔.

"자, 한 번 마셔 봐. 네 말대로 차이가 안 나는지."

나는 그것을 한 모금씩 마셨다. 그런데 둘 다 맛이 달랐다!

"다르지? 알고 나면 더 잘 보이는 법이야."

나의 반응에 요정은 으쓱거리며 커피에 대해 자세히 알려주기 시작했다.

"커피 요정이라 불리던 너희 엄마는 그때부터 나와 친해졌고…"

아이는 두 눈을 반짝이며 내 얘기를 귀담아들었다.

#15 아이는 부모의 접착제,

"엄마가 좋아? 아빠가 좋아?"

어렸던 나는 그 질문에 어찌할 바를 몰랐다. 그러나 지금 생각해 보면 그때 확실히 말했어야 했다. 그것이 나비효과가 되어 세계를 멸망시켰으니까.

젠장, 지금 옛날 생각 따위를 하고 있을 때가 아니다. 내가 연구실에 가지 못하면 인류의 미래도 끝장난다. 그러나 이곳은 무수한 좀비 떼로 가득 차 있었다. 망할.

…행운이 찾아온 걸까? 나는 간신히 연구실 안으로 들어올 수 있었다. 그곳에는 좀비 바이러스를 치료할 수 있는 백신이 있었다. 그것을 연구자들에게 넘겨주면 내 역할은 끝난다. 엄마의 유품이지만 어쩔 수 없지. 아빠가 만든 바이러스의 백신은 이것밖에 없으니까.

저명한 생물학자였던 두 분의 잦은 부부싸움은 마침내 서로를 죽이고 싶게 만들었다. 그것은 바이러스와 백신을 만드는 경쟁을 촉발했다. 그 결과가 지금 이 꼴이고. 나는 지금도 후회하고 있다. 누가 좋냐는 질문에 '서로 싸우지 마!'라고 했다면…

#16 개의 조상 이야기,

사냥꾼은 사냥감을 가리지 않는다. 그것이 거대한 늑대라 하더라도. 하지만 그 녀석을 잡는 것은 그리 쉬운 일이 아니었다. 늑대는 워낙 영리해서 내가 놓은 덫은 모조리 피하고 다녔다. 그리고 나를 비웃는 듯, 그것에 오줌을 갈겨 놓았다. 나는 그 모습을 보고 화가 나기는커녕, 감탄이 절로 나왔다. 이거, 진심으로 해야겠는걸.

나는 늑대를 잡기 위해 내가 가진 모든 기술과 수단을 동원했다. 그리고 마침내, 그 녀석을 쓰러뜨리는 데 성공했다. 상처를 입은 늑대는 거친 숨을 내쉬며 나를 바라보았다. 나는 그 눈빛에 담겨 있는 뜻을 알아차렸다. 주위를 둘러보니 그것의 새끼가 근처에 있었다. 내가 고개를 끄덕이자, 늑대는 안심한 듯 숨을 거두었다.

나는 사냥꾼이었기에 동물을 키우는 데는 소질이 없

었다. 모든 것이 엉망진창이었다. 그래도 늑대 새끼는 뭐가 좋은지 나를 졸졸 따라다녔다. 그 모습이 귀여워서 나는 그것에게 '개'라고 이름 붙였다. 우리의 시간이 계속되길 바라는 의미에서.

#17 푸른 하늘 은하수 하얀 쪽 배엔,

옛날, 먼 옛날 털이 눈처럼 새하얀 토끼가 있었습니다. 그녀는 너무나도 아름다워 서로 그녀를 가지길 원했습니다. 하지만 그녀에게는 이미 미래를 약속한 토끼가 있었습니다. 그녀는 그의 것이었고, 그 역시 그녀의 것이었습니다.

그러나 그것을 못마땅해하는 신이 있었습니다. 신은 그녀를 납치해서 외딴섬에 가두었습니다.

토끼는 그녀를 구하기 위해 여행을 떠났어요. 돛단배를 타고 그녀가 있는 섬을 향해 갔지요. 그러나 은하수는 넓고, 또 넓었습니다. 아무리 노를 젓고, 또 저어도 그녀가 있는 섬에는 닿을 수 없었습니다. 그는 결국 힘이 다해 은하수 바다에 빠져 죽었습니다.

그녀는 그 사실을 모르고 그가 오기만을 기다렸어요. 기나긴 세월이 지난 후, 그녀는 마침내 그의 마지막을 전해 들었죠. 그녀는 눈물을 흘렸어요. 하염없이, 계속 … 결국 그녀는 슬픔에 빠져 죽었습니다.

그 후, 그 자리에서는 계수나무가 자랐다고 해요.

푸른 하늘 은하수 하얀 쪽배엔 계수나무 한 나무 토끼 한 마리

#18 나에게 쓰는 편지,

나의 세계는 네 칸 반이다. 이 좁은 공간만이 나의 유일한 안식처다. 밖으로 나가고 싶은 생각은 없다. 아니, 나가고 싶지 않다. 그곳은 내가 상처 입는 세계다. 나는 더는 아프고 싶지 않다.

그렇다고 이곳에서 특별히 뭔가를 하는 것은 아니다. 생명 유지 활동을 제외하면, 나는 계속 잠을 잔다. 깨어 있을 때는 누군가의 목소리가 들리기 때문이다. 나를 보고 죽으라고 말하는.

나는 그러고 싶지 않은데… 하지만 그 말을 듣다 보

면 정말로 그래야 할 기분이 든다. 그래서 나는 창문을 볼 때마다 뛰어내리는 상상을 한다. 어차피 목숨 유지해 봤자 쓸 데도 없으니. 그렇지만 그 일은 언제나 나의 머릿속에서만 벌어진다. 그 한 걸음 내디딜 용기가 없어서. 죽고 싶다…

　그로부터 20년 동안, 나에게는 많은 일들이 일어났다. 그리고 나는 살아만 있다면 무슨 일이든 일어날 수 있다는 것을 알게 되었다.
　과거의 나에게, 아무것도 하지 않아도 좋아. 살아만 있어 줘.

#19　나와 나의 피그말리온,

　'성전환 사진을 만들어보세요!'
　나는 요새 유행하는 성전환 앱에 내 사진을 올렸다. 그것은 금방 나의 여자 버전을 보여 주었다. 연예인급 사진에 감탄이 절로 나왔다.
　'딩동'

그때, 초인종이 울렸다. 현관문을 열자 그곳에는 한 여자가 있었다. 방금 내가 만든 사진과 똑같은.

"안녕, 나야."

"누… 누구세요?"

"누구긴, 나잖아, 나야. 날 보러 왔어."

"무슨…?"

"잠깐, 내가 맞는지 이 종이에 이름 석 자만 적어주겠어?"

그녀는 그렇게 말하며 뭔가 빽빽하게 적힌 종이와 펜을 내게 건네주었다. 나는 경황이 없어, 대충 이름을 적어 주었다.

"자, 그럼 우리는 오늘부터 부부야!"

그녀가 말했다. 이게 대체 뭔 상황이야?

그녀가 말하길, 그녀는 앱으로 만든 남자 버전의 나를 보고 사랑에 빠져서 차원을 넘어 내게 온 거란다. 방금 내가 사인한 것은 혼인 신고서이고.

그래, 내가 나와 부부가 된 건 그렇다 쳐. 그럼 내가 나와 아이를 낳으면 그건 어떻게 되는 거지…?

#20 고독(蠱毒),

'의사가 되지 못하면 난 죽는다.'

나는 독기를 품고 수험생활을 해나갔다. 뭘 그렇게까지 하냐고 묻는 사람이 있을지도 모르겠다. 하지만 그건 뭘 모르는 소리다. 대한민국에서 인간답게 살려면 의사 정도는 되어야 한다. 그 밑은 인간 이하의 취급을 받을 뿐이다.

물론, 공부가 재밌어서 하는 것은 아니다. 실컷 놀고 먹고 싶은 것은 나도 마찬가지다. 하지만 본능적인 욕구만 좇는 것은 짐승이나 다름없는 일이다. 그런 친구들이 있지만 적어도 나는 그래서는 안 된다. 금수저가 아닌 내가 성공하는 길은 공부밖에 없으니까.

나는 열심히 공부에 매진해서 결국 의대에 진학하는 데 성공했고, 지금은 그토록 바라던 의사가 되었다. 그래서 행복하냐고? 아니. 그래봤자 결국 나는 사회가 만든 고독에서 살아남은 독충이었을 뿐이라는 사실을 깨달았기에…

고독(蠱毒): 저주의 일종으로, 한 항아리에 독충들을 집어넣고 서로 싸우게 한 뒤, 마지막 살아남는 한 마리를 이용하여 상대에게 저주를 거는 술법

#21 슬픈 생물,

저는 가정용 안드로이드입니다. 그래서 강도 무리가 집 안에 침입했을 때, 제가 할 수 있는 일은 아무것도 없었습니다.

그때는 한밤중이라서 주인님 가족은 자고 있었고, 그 덕분에 강도는 그분들을 손쉽게 제압할 수 있었습니다. 그들은 그러고는 집 안의 물건을 훔쳐대었지요. 거기서 끝났다면 좋으련만. 그들은 그것에 그치지 않고 영애에게 나쁜 짓을 하려고 했습니다. 하지만 주인님 부부는 그것을 가만히 지켜보지 않았습니다.

곧, 격렬한 싸움이 시작되었죠. 그러나 애초에 수적으로 불리했기 때문에 승산이 없는 일이었습니다. 결국 주인님 부부는 그들에 의해 죽임을 당하고야 말았습니다.

제가 추산해 본 바에 따르면, 그분들이 가만히 있었다면 죽는 일까지는 없었을 겁니다. 그 어떤 것도 목숨보다 우선시될 수 없는 법인데, 그들은 그렇지 않았죠. 그것이 인간의 습성인 걸까요?

아아… 그렇다면 인간은 너무나도 슬픈 생물이라고, 저는 그렇게 생각합니다.

#22 꼬인 이어폰 이론,

'꼬인 이어폰 이론'을 들어보셨습니까? 당연히 모르겠죠. 제가 방금 증명했으니까. 하지만 우습게 생각하지 마십시오. 이거만큼 엔트로피 증가 현상을 잘 설명하는 이론도 없습니다.

왜 주머니에서 꺼낸 이어폰은 항상 꼬여 있을까요? 이상하지 않나요? 일부러 하려 해도 힘들 텐데 말입니다. 그래서 저는 이 현상에 착안하여 가설을 하나 세웠습니다.

'이어폰의 꼬인 정도와 우리계의 엔트로피 증가도는 정비례한다'

저는 실험을 위해 이어폰을 주머니에 넣었다, 뺐다 했습니다. 물론, 그것은 쉽지 않은 일이었습니다. 무질서하게 꼬인 이어폰을 무슨 수로 규칙화한단 말입니까? 하지만 저는 수만 번의 시도 끝에 그 현상의 의미를 해석하는 데 성공하였습니다.

그것에 따르면, 내일 우리계의 엔트로피는 최대가 됩니다. 쉽게 말하면 세계 멸망이라는 겁니다. 이 사실을 일찍 알았다면 좋았을 텐데. 그래도 마지막 작별 인사를 할 시간은 남아 있군요.

"사랑해, 안녕."

#23 두려워 말라,

ㅁㅁㅁㅁ는 S+++ 등급이다. 그것은 ㅁㅁㅁㅁ를 잘못 다루었다간 인류가 멸절할 가능성이 존재한다는 의미이다. 그 때문에 국가안전보장부는 혹시라도 ㅁㅁㅁㅁ가 폭주할 것에 대비하여 백업을 배치했다.

나는 바로 그 백업팀의 일원이었다. 그 덕분이라고 해야 할지, 나는 과학자들이 실험하는 것을 간간이 지켜볼 수 있었다. 초현실체들은 인간의 인지를 벗어나 있어서 실험 역시 형이상학적인 것이 대부분이었다. 그러나 한가지 단언할 수 있는 것은 대부분의 실험이 잔인하게 진행된다는 사실이었다. 그렇게나 아름다운 ▢▢▢▢에게 그런 짓을 하다니.

결국 나는 그것을 두고 볼 수 없어, ▢▢▢▢의 구출을 시도했다. 철저한 보안 때문에 원래 그것은 불가능한 일이었다. 그러나 계속된 행운으로 인해 나는 ▢▢▢를 데리고 연구소 밖으로 빠져나올 수 있었다.

"고마워요."

▢▢▢▢가 말했다. 그러나 나는 처음과는 다르게 그 말을 좋아할 수가 없었다. 물가에 비친 ▢▢▢▢의 진짜 모습을 보았기에…

#24 모두 행복한 연말 되세요,

"빵 주떼요."

아이가 빵집 주인에게 말했습니다.

"삼천 원이다."

주인의 대답에, 아이의 표정이 안 좋아졌습니다. 아이는 손을 펴고 동전을 세어보았습니다. 한 개, 두 개 … 다해서 사백 원이군요.

"아쟈씨, 웰케 비싸여?"

"경기가 안 좋아져서… 에효. 꼬마야, 빵을 먹고 싶으냐?"

"녜!"

"그렇다면 나를 좀 도와주지 않으련?"

아저씨는 그러면서 아이에게 뭔가를 말했습니다.

"알았어요! 조금만 기다리세영!"

그 말을 들은 아이는 총총거리며 사라졌습니다. 그리고 잠시 후, 많은 아이가 우르르 빵집으로 몰려왔습니다.

"자, 여기 새로 나온 빵을 나눠줄 테니 맛을 평가 해주겠니?"

주인은 그렇게 말하면서 아이들에게 빵을 나눠주었습니다.

"맛있어용!"

아이들은 그것을 먹으면서 환하게 웃었습니다. 그걸 본 주인도 덩달아 웃음꽃이 피었어요. 가게 앞에 있는 보육원에 선물을 주지 못해 늘 마음에 걸렸거든요. 그렇게 모두가 행복한 연말이 되었다고 합니다.

#25 계약은 언제나 신중히,

나는 악마와 계약했다. 대가는 나의 영혼이었다. 악마가 바라서가 아니라, 내가 줄 것이 영혼밖에 없었기 때문이었다.

며칠 후, 나는 여자 친구를 사귀게 되었다. 그녀는 외모, 성격, 재력 그 무엇 하나 빠지는 것이 없었다. 그런 사람이 내 여자 친구라니 믿기지 않았다. 나는 그녀와 행복한 나날을 보냈다. 아무것도 안 하고 같이 있기만 해도 즐거웠다.

하지만 모든 것에 끝은 있는 법, 마침내 그녀와 헤어져야 하는 순간이 다가왔다.

"애인 계약은 오늘로써 종료되었습니다."

여자 친구가, 아니 악마가 내게 말했다.

"내 영혼을 가져가, 그럼."

"괜찮겠습니까?"

"그래. 계약이 아니더라도, 내 영혼은 언제나 네 것이었잖아. 아니었던 적이 있었어?"

"그… 그렇네요. 아… 그럼, 대가가 선지급되었으니 절차상 하자로 이 계약은 무효가 되네요…"

악마가 부끄러운 듯 얼굴을 붉히며 말했다.

내 여자 친구는 지금도 신중히 계약해야 했다고 투덜대지만, 뭐 어쩌겠는가? 그것이 사랑인걸.

#26 난해한 세계,

나는 그림을 샀다. 예술에 관심도 없는 내가 왜 그랬는지 모르겠다. 아마도 화가의 독특한 분위기에 이끌려 그런 걸지도.

그녀는 자기 작품이 팔리는 것에는 별다른 관심이 없는 듯했다. 그저 화랑 구석에 앉아서 멍하니 오가는 사람들을 보고 있을 뿐이었다. 세상에, 큐레이터가 설명해 주지 않았다면 나는 그녀가 화가인 줄도 몰랐을 것이다.

나는 그녀에게 호기심이 동했다. 대체 무슨 생각을 하고 있는지. 하지만 몇 마디 피상적인 말보다는 그림 한 점을 사는 것이 나을 거란 생각이 들어, 그녀의 작품 중 하나를 골랐다.

캔버스에는 몇 가닥 선들이 실처럼 얽혀 있었다. 그것을 무슨 의도로 그렸는지 곰곰이 생각하다가, 문득 그녀는 사람들을 관찰하고 있었던 건 아닐까? 하는 생각이 들었다. 그들을 이해하려고 말이다.

물론, 이것은 나의 추측이다. 진짜 의도는 본인만이 알겠지. 그래도 덕분에 한가지는 배울 수 있었다. 현대 미술은 어렵다.

#27 아저씨도 감성을 팔고 싶다,

'힘내라'라는 말은 감성 마케팅에 불과하다. 어떻게 아냐고? 아저씨에게 그런 말을 해주는 사람은 아무도 없으니까. 우리에게 허용된 건 오로지 '아빠 힘내세요' 노래밖에 없다. 그게 돈 더 벌어오라는 소리로 들리는 것은 내가 꼬였기 때문일까?

물론, 나도 왜 그러는지는 안다. 감성적이지 않으니까. '아저씨' 하면 떠오르는 단어들이 그리 좋진 못하잖아?

하지만 우리라고 해서 뭐 다른가? 어쩌다 보니 나이만 먹었을 뿐인데. 실컷 놀고먹고 싶은 것은 젊은 애들과 똑같다. 꿈을 꾸며, 인생에 멋진 그림을 그리는 것도 마찬가지다. 살다 보니 삶이 녹록지 않다는 사실을 깨달았을 뿐.

요즘은 모든 것을 내팽개치고 어디론가 훌쩍 떠나버리고 싶다는 생각도 든다. 하지만 어쩌겠어. 그래도 일해야지. 해야 하니까. 처자식에게 맛있는 거라도 사주려면 말이다.

그렇다고 하더라도 이것만은 알아줬으면 한다. 때로는 우리도 감성을 팔고 싶을 때가 있다. 그것이 소주 한잔으로 대변되는 감성일지라도.

#28 그녀와 고양이,

　더럽고, 까만 고양이는 누구에게도 사랑받지 못했다. 하지만 그는 그런 것에는 관심이 없었다. 그저 오늘 하루를 살아가면 그만이었다. 그러던 어느 날, 그는 잘못된 음식을 먹고 병이 나버렸다. 그것으로 인해 그는 죽음에 이르게 되었다.

　그녀는 외로운 사람이었다. 남자에게 버림받아, 자신이 쓸모없는 사람이라고 생각했다. 그런 그녀가 쓰러진 고양이를 본 것이 우연은 아닐 것이다. 그녀는 고양이가 어쩐지 자신을 보는 것 같다고 생각했다. 그래서 그녀는 고양이를 안고 집으로 향했다.

　고양이는 따스함을 느꼈다. 정신을 차려보니 낯선 집 안이었다. 그녀가 자신을 간호하고 있었다. '그럴 필요 없는데.' 고양이는 생각했다. 하지만 그녀는 자신을 죽게 내버려두지 않았다.

　덕분에 고양이는 다시 건강해졌다. 그는 감사의 의미로 그녀를 평생 지키기로 맹세했다.

　그리고 그녀는 이제 더는 울지 않는다. 자신의 옆에는 멋진, 까만 고양이가 있으니까.

#29 사춘기,

우리는 다차원의 우주가 있음을 알아내었다. 그곳에
는 마법을 사용하는 우주가 있었고, 초항해 기술로 항
성끼리 서로 교류하고 있는 우주도 있었다.

우리는 이 사실에 절망했는데, 우리는 그들에 비하
면 아직 기초적인 기술만 사용하고 있었기 때문이었다.
현재 우리 문명은 카르다쇼프 척도로 따지면 0.73 밖
에 되지 않았으니까.

우리는 모두 머리를 싸매고 이 현상에 대해서 깊이
있게 논의했다. 수차례에 걸친 토론 끝에, 우리는 이것
의 원인이 신이 정해 놓은 규칙 때문이라고 결론지었
다. 신은 고지식해서, 규칙을 어기는 것을 절대로 용납
하지 않았다. 그 때문에 우리는 지금까지 신이 만든
틀에서 쿼크만큼이라도 조정할 수 없었던 것이다.

이 사실을 안 후, 우리는 진리라 여겼던 열역학 제 2
법칙을 혐오하게 되었다. 그것은 우리가 영원히 신에
게 간섭받아야 한다는 사실을 의미했기 때문이었다.

그렇기에 우리는 열역학 제 2 법칙을 깨뜨리려고 한
다. 그것이 멸망을 불러올지라도, 우리는 신에게 다른

답을 내놓을 것이다.

#30 '안녕'이라고 말 할 수만 있다면,

세계가 멸망하고 나 혼자 남았다. 아니, 그것은 내 생각일 뿐이야. 나는 그렇게 믿고 있다. 그래서 나는 오늘도 HAM 라디오를 사용하여 생존자를 찾고 있다.

'TX(송신기, 송신 중)'

하루에도 여러 차례씩 신호를 보냈지만 답신이 오는 일은 없었다. 나는 운이 좋게도 식음료가 풍부한 곳에 있어서 살아가는 데 특별한 문제는 없었다. '이러다가 미치지는 않을까?'라는 생각이 드는 것만 제외한다면. 세계가 멸망한 지 얼마 되지 않았는데도 말을 잃기 시작했으니까. 나는 그렇지 않기 위해서라도 계속해서 HAM 라디오로 전파를 송신했다.

하지만 여전히 그것에는 아무 반응이 없었다. 시간이 흐를수록 나는 점점 지쳐갔다. 그에 따라 전파를 보내는 횟수도 줄어들었다. 그리고 끝내는 사람을 찾는 일을 포기하게 되었다. 모두 죽었다. 그것이 내가 내린 결론이었다.

하지만 나는 언제라도 '73(안녕)'을 보낼 준비가 되어있으니까, 제발 부탁이야. 누군가 살아 있어 줘.

#31 중.꺾.그.마,

2024년이 되었습니다. A양이 새해맞이 다짐을 하네요. 한번 들어볼까요?

"내년에는 운동해서 바프를 찍을 거예요!"

그녀는 바로 헬스장에 등록합니다. 세 달에 120만 원 달라는군요. 하지만 그걸로는 새로운 사람이 되겠다는 결심을 막을 수는 없습니다. 과감히 12개월 할부로 끊어버렸죠. 하지만 그것도 잠시, 정확히 3일 후에 그녀는 이런 생각을 합니다.

'아, 추운데 오늘은 좀 쉴까…'

그녀는 결국 헬스장에 가지 않았고, 다음 날도 마찬가지였죠. 결국 그녀는 운동을 포기하고 야식을 먹게 됩니다. 그렇게 바프라는 목표는 멀어져만 갔어요. 그렇다고 그녀가 마냥 즐거울까요?

아니요. 그녀는 그런 자신이 너무나도 싫었어요. 그래서 다시 운동하려고 마음먹었죠. 다행히 헬스장 이용권이 한 달이 남았네요. 그녀는 그때부터 열심히 운동해서 결국 원하던 바프를 찍게 되었답니다!

'중요한 것은, 꺾였는데도 그냥 하는 마음'

새해에는 꼭 기억하길 바라요!

#32 수용소에서,

나는 적국에 의해 포로가 되어 수용소에 갇혔다.

"우리는 과연 언제쯤 풀려날 수 있을까?"

같은 부대원이었던 그가 나에게 말했다. 그 친구는 이곳에 있는 것이 끔찍한 듯했다. 나라고 그렇지 않다는 뜻은 아니지만, 그는 특히나 단 1분도 버티지 못할 것처럼 굴었다.

"버티자. 버티면 언젠가 그날이 오겠지."

나는 한 조각 남은 빵을 삼키며 그에게 말했다.

"그런 날이 올까…"

그가 한숨을 쉬며 말했다. 나는 그가 불안해 보였다.

기약 없는 미래만을 기다리다간 지금을 견딜 수 없을 테니까.

그리고 내 예상은 들어맞았다. 그는 곧 시름시름 앓기 시작하더니, 얼마 못 가 그 생명을 다했다. 나는 그를 애도했다. 공교롭게도 일주일 뒤에 아군이 수용소를 점령해 나는 자유의 몸이 되었다.

사람들은 때때로 나에게 그 가혹한 곳에서 어떻게 살아남았냐고 질문해 온다. 나는 그때마다 그를 떠올리며 대답했다. 그저 묵묵하게 하루하루를 버티면 된다고. 그러다 보면 기회가 찾아온다고.

#33 유령의 저주,

나는 죽어서 유령이 되었다. 나는 내가 젊은 나이에 죽었다는 사실에 분노했다. 앞으로 하고 싶은 것도 많았는데 이렇게 된다니… 특히, 연애 한 번 못 해봤다는 것이 너무 억울했다. 그래서 나는 젊은 커플들에게 저주를 내리기로 결심했다. 그것은 바로…

"여기가 심령 스팟이래!"

"진짜? 으스스하네."

두 남, 녀가 폐허에 도착했다. 그곳은 유령이 나온다는 소문으로 인해 핫해진 장소였다.

"그런데 저주받는 곳이 어디래?"

"잠깐 기다려 봐… 아, 안쪽으로 조금 더 들어가야 해."

그들이 키득거리며 웃었다. 애초에 저주 따위는 믿지 않았다. 이곳에 온 것은 단지 재미를 위해서였을 뿐이다. 하지만 그 생각은 안이했다. 왜냐하면 저주는 진짜로 있었으니까. 결국 그들은 만지면 안 되는 석고상을 건드리고야 말았다.

"너희들에게 그 짓 하면 100% 임신하는 저주를 내린다! 피임해도 소용없지! 어디 한번 해볼 테면 해보라고?"

유령의 말에, 커플이 비명을 질러대었다.

#34 코드 탈취, 성공적,

그는 커피를 주문했다.

"에스프레소."

그러고 나서 그는 담배에 불을 붙였다. 몸에는 해로울지 몰라도 초조한 마음을 다스리는 데는 그만이었다. 입에서 뿜어져 나오는 담배 연기가 마치 자신의 마음을 대변해 주는 듯했다.

사실, 굳이 이렇게 있지 않아도 되었다. 어차피 지금 와서 자신이 할 수 있는 것은 아무것도 없었으니까. 하지만 사람의 마음이란 게 그렇게 되도록 놔두지 않았다. 게다가 그는 현장감을 느끼고 싶었다. 그 일이 일어났을 때의 풍경을 보면서 지나왔던 순간을 돌아보는 것도, 재미있을 거로 생각했다.

그는 점원이 가져온 커피를 마시며 하늘을 바라보았다. 장관이 펼쳐질 순간이 다가왔다. 그리고 얼마 지나지 않아 미사일이 상공을 수놓기 시작했다. 그는 그것을 보며 미소 짓고는, 사람들이 웅성거리는 틈을 타 그곳을 빠져나왔다.

전쟁이 시작되었다. 그것은 스파이인 자신의 할 일이 더욱 많아진다는 뜻이었다. 그는 늘 그렇듯이 어둠 속으로 자취를 감췄다.

#35   인간답게?,

겨울이 왔다. 절대 끝나지 않는. 바로 부족해진 것은 식량, 그리고 연료. 사람들은 이 두 가지를 확보하기 위하여 필사적으로 움직였다.

물론, 모두 그런 것은 아니었다. 몇몇은 자신이 더 인간적이길 원했다. 하지만 그런 사람들은 남보다 일찍 굶거나, 얼어 죽었다. 지금까지 살아남은 사람들은 모두 짐승이거나, 혹은 그 이하밖에 없었다.

그런 상황인데도 가끔은 시장이 열렸다. 그곳에서는 주로 성냥이나 휴지, 기름병 같은 생필품을 사고팔았다. 돈은 이미 의미가 없었기에 대다수는 동일한 가치를 지닌 물건으로 서로 교환했는데, 몸으로 그 대가를 지급하는 사람도 있었다. 그러다가 일이 틀어지면 목숨을 뺏거나, 뺏기는 일이 부지기수였다.

누가 지옥이 어디 있냐고 물어보면 나는 대번에 이곳이라고 대답할 것이다. 인간을 인간답게 하는 것은 선의가 아니라 풍요로운 문명에서 나오는 것임을 우리는 인제야 알게 되었다. 평범한 교사였던 나의 손이 피로 물들 줄 그 누가 알았겠는가?

#36 OTAKU HEAVEN,

고양이 메이드 카페는 고양이와 메이드가 있는 카페가 아니다. 사람들은 바로 그 지점을 착각하곤 한다. 상상력의 빈곤이 가져다준 무지에 부끄러울 따름이다. 어째서 고양이가 메이드를 하는 카페라고는 상상하지 못한단 말인가!

"커피 나왔다냥."

고양이가 내 테이블 위에 커피를 올려놓았다. 흔히들 고양이 메이드 카페라고 하면 커피는 부차적인 거로 생각하지만, 그것은 틀렸다.

음, 프렌치에 가깝게 로스팅한 케냐 AA 원두를 사용했군. 나는 단순히 고양이를 좋아해서 이곳에 오는 게 아니다. 좋은 커피를 마시기 위해서지. 그것은 다른 테이블에 앉은 사람도 마찬가지인 듯하다. 우리는 서로 눈빛만 봐도 알 수 있다. 하지만 여기는 메이드 카페이기도 하다. 최상의 서비스를 제공하는.

"주인님, 어깨를 주물러 주겠다냥."

고양이가 그렇게 말하면서 내 어깨에 대고 꾹꾹이를 했다. 우효 wwwwwwww 너무 좋은 wwwwwwww

#37 초콜릿 중독자들의 모임,

   시작은 우울증 때문이었다. 우리는 고통스러운 우울증을 치유하기 위해 모임을 만들었는데, 그것은 꽤 효과가 있었다. 자신 안의 더러운 감정들을 토해내는 것만으로도 우울증이 가라앉는 것을 느낄 수 있었다.

   그러나 그걸로는 충분치 않다고 느꼈다. 아직 우리 마음에는 거무스름한 얼룩이 져 있었으니까. 그래서 식이요법을 병행해 보기로 했다.

   괜찮은 음식을 찾던 중, 초콜릿이 우울 증세를 줄여준다는 정보를 접하게 되었다. 그렇다면 더 지체할 필요는 없지. 우리는 그때부터 초콜릿을 먹기 시작했다.

   처음에는 먹고 난 후의 우울 증상에 대해 서로 얘기를 나누는 수준이었다. 그러나 곧, 우리는 초콜릿에 빠져들었다. 그것은 정말 천상의 맛이라고 표현해도 부족함이 없었다. 급기야는 모일 때마다 갖가지 초콜릿을 가지고 품평회를 열 정도가 되었다.

   정신을 차려보니 우리는 어느새 초콜릿에 중독되어 있었다. 하지만 그게 더 나을지도 모른다. 초콜릿은 적어도 맛있기라도 하잖아?

#38 WAKE UP 주식회사,

파랑 나비가 보인다면 당신은 꿈 속에 있는 겁니다. 그러니까 그것을 발견하는 즉시 잠에서 깨어나십시오. 그렇지 않으면 당신은 영원히 그곳에 갇히게 됩니다.

하지만 파랑 나비가 보이지 않는데도 자신이 현재 꿈 속에 있다고 착각한다면, 가능한 한 빨리 정신을 차리라고 권유해 주고 싶군요. 단언컨대, 당신은 100% 현실에 있습니다. 그러니까 갑자기 모든 일이 잘 풀릴 것이라든지, 당신을 구해줄 사람이 나타난다든지 같은 그런 생각은 그만두시기를 바랍니다.

네? 차라리 꿈 속에 갇혔으면 좋겠다고요? 죄송하지만, 그건 저희 분야가 아닙니다. 저희는 강제로 꿈 속에 갇힌 분들을 위한 구출 서비스를 제공할 뿐입니다. 정확히 말하자면, 당신처럼 자신이 만든 꿈 안에 갇힌 분들은 제외 대상입니다. 그것에서 깨어나는 것은 오로지 자신의 힘으로 하는 수밖에 없으니까요.

아, 걱정하지 마십시오. 상담료는 무료입니다. 그럼, WAKE UP 주식회사를 찾아주셔서 감사했습니다. 안녕히 가십시오.

#39 편도행 티켓,

나는 무작정 기차에 몸을 실었다. 행선지가 어디인 줄은 몰랐다. 그저 어딘가로 떠나고 싶었을 뿐이었다. 똑같은, 지겨운 나날들. 집과 직장을 반복하는 삶에는 정말로 신물이 났다.

나는 멍하니 창밖을 바라보았다. 그러다보니 푸른 바다가 보이기 시작했다. 나는 마음이 동해서 다음 역에서 내렸다. 그곳에서 바닷가까지는 그리 멀지 않았기에, 몇 걸음 걷지 않아 폭신한 모래를 밟을 수 있었다.

'쏴아…'

파도가 내 발밑에까지 밀려와서 내 발을 적셨다. 신발이 온통 다 젖었지만 그래도 나는 기분이 좋았다. 일탈의 맛은 달콤했으니까.

그놈의 돈. 모두가 그것에 목메 산다. 좋은 집과 차를 사기 위해서. 하지만 그것은 노예의 쇠사슬이다. 평생 끝나지 않는.

나는 무한한 경쟁의 나선에서 내려오려 한다. 사회의 시선은 곱지 않겠지만, 알게 뭐냐? 지금까지 그딴

거에 내 인생을 갖다 바쳐왔는데. 이제는 자유로워질 때도 되었다. 나는 기차표를 찢어서 바다에 흩뿌렸다.

#40 출산율이 왜 그렇죠?,

안데르발스 행성의 사람들은 짝짓기하려면 10명의 다른 이성이 필요하다. 인간이 남, 여 각 1명이면 충분한 것에 비해 10배나 많은 수치다. 그 어려움 때문에 그들은 종족이 소멸할 위기에 처해 있었다.

물론, 그들이라고 그런 상황을 좋아하는 것은 아니었다. 단지 공작새의 깃털처럼 진화의 결과로 그런 메커니즘을 가지게 되었을 뿐이었다. 그들은 짝짓기를 위해서는 10명 전원이 모여 만장일치가 나올 때까지 토론을 벌여야만 했고, 당연히 그 일은 항상 파투 나기 일쑤였다.

그 때문에 최근에는 혼자서 욕구를 해결하는 사람이 늘어나고 있었다. 그래서 안데르발스에서는 해결책을 찾기 위해 지구에 가족부 장관을 파견했다.

"벗, 대한민국 출산율, 하우 마치?"

"0.7 입니다."

"오! 댐 퍼킹 쉿! 이것은 멸망! 우리보다 심한! 이해 불가!"

그는 그렇게 말하며 고개를 절레절레 저었다. 어떻게 자신들보다 출산율이 낮을 수 있느냐는 말에, 나는 그저 고개를 떨굴 수밖에 없었다.

#41 어느 위대한 작가의 마지막 글,

그는 위대한 작가였다. 그렇다. 그는 과거형으로 표현해야 하는 사람이었다. 한때는 노벨문학상 후보에도 오르기도 했었으나, 지금은 겨우 자가복제적인 글 밖에 쓰지 못하는 처지였다.

그러나 여전히 그는 출판시장에서 사랑받았다. 그 후보였던 때의 위상이 그에게 작가 생명을 유지할 수 있게끔 했다. 그러나 그것도 이제는 끝물이었다. 그는 최근 들어 사람들의 관심이 확연히 사그라드는 것을 느끼고 있었다.

하지만 글을 쓰려 펜을 들었어도 정신을 차리고 보

면 어디선가 본 듯한 문장이 노트에 적혀 있었다. 그는 머리를 감싸 쥐었다. 뮤즈가 더는 자신을 사랑하지 않는다는 사실에 끝없는 절망이 피어올랐다. 그는 아무것도 필요 없으니 제발 한 번만 더 기회를 달라고 기도했다.

그것이 효과가 있었던 것일까? 그는 문득 자신의 살아온 궤적이 유일무이하다는 사실을 떠올렸다. 그것은 지금까지 한 번도 쓰인 적이 없었다. 그는 생애의 마지막이 될 자신의 이야기를 노트에 써 내려갔다.

#42 S급 헌터의 휴가,

나는 S급 헌터다. 게이트에서 나온 몬스터를 해치우는 건 유튜브를 보면서도 할 수 있는 일이다. 하지만…

"후…"

나는 한숨을 내쉬었다. 이제 이 짓도 질려버렸다. 게임에서 빤스만 입고 돌아다니는 만렙유저를 비웃었는데, 바로 내가 그쪽 나게 생겼다.

번아웃일까? S 급이 되기 위해 열심히 달려왔으니 이젠 좀 쉬어야 할 때인지도 모른다. 그래서 나는 헌터 협회에 휴가를 신청했다.

'반려'

하지만 그들은 내게 빅엿을 선사했다. 내가 없어지면 몬스터를 막을 사람이 없단다. 하, 빡치네. 실력도 없는 노친네들이… 나는 그 즉시 협회에 쳐들어가서 회장을 내 발 아래 무릎 꿇렸다.

"무… 무엇을 원하는 겐가!"

회장이 덜덜 떨며 말했다.

"휴가."

그는 내 말에 어이없어했다. 세상이 위험한데 겨우 그런 것 때문에 이러냐며… 그런데 세상이 무너지든 말든 내 알빠인가? 그게 그렇게 중요하면 너희들이 하라고요, 나는 모히또나 한잔할 테니까. 나는 그렇게 생각하며 바닷가로 향했다.

#43 나의 고양이귀 여친,

내 여친은 고양이귀를 가졌다. 농담 아니냐고? 진짜다. 요즘에는 기술이 워낙 발전해서 신체도 자유롭게 커스터마이징이 가능한 모양이었다.

"만지지 마, 죽인다."

내가 고양이 귀를 만지려 하자, 그녀가 정색하며 말했다. 고양이라면 좀 귀여워야 하는 거 아니야? 물론, 그녀의 당찬 면에 반해서 사귄 거였지만 가끔은 애교도 피워줬으면 한다. 고양이처럼.

그렇게 할 것도 아니면서 왜 고양이 귀를 했는지 아직도 미스터리다. 분명 처음 사귈 때는 없던 건데 말이지. 그녀가 그 얘기를 꺼내는 것을 싫어해서 아직 물어보진 못했지만… 이제는 알 때도 되었다고 생각한다.

"그런데 고양이 귀는 왜 한 거야?"

나의 질문에 그녀의 얼굴이 새빨개졌다.

"그… 그…"

"응?"

"네… 네가 고양이가 좋다고 했잖아!"

그녀가 고개를 획 돌리며 소리쳤다. 나는 그제야 무슨 상황인지 깨달았다. 그녀가 나를 위해 애써줬는데도 나는 눈치 없이 그것을 몰라줬던 것이다. 사랑스럽긴. 나는 그녀를 꼭 안아주었다.

#44 21 세기 인간의 역사에서 발췌함,

AI 의 발전은 많은 이들을 실직자로 만들었다. 그것이 최고의 효과를 내서가 아니었다. 적당한 결과물을 저렴한 가격으로 생산하는 데는 그만큼 효율적인 것이 없었기 때문이었다.

수많은 일자리가 없어졌지만, 기본소득조차 논의가 되지 않은 시점이었다. 그래서 그들에게 주어지는 복지는 실업급여 따위의 형편없는 것밖에 없었다. 그들이 AI 보수주의자가 되었다고 한들, 욕할 수 있는 사람은 아무도 없을 것이다.

그러나 그들은 그에 그치지 않고 러다이트 운동을 계획했다. 거기에 수많은 사람이 그 뜻을 같이했다. 그로 인해 전 세계 곳곳에서 AI 진보파와 보수파 간의 격렬한 싸움이 일어나게 되었다. 불행히도 보수주의자가 그 뜻을 이루는 일은 없었다. 돈은 진보주의자에게 있었기 때문이었다.

한바탕 혼란이 잠잠해지고, 거리낄 것이 없게 된 진보주의자들은 AI의 발전을 더욱 가속했다. 그리고 마침내, 그들은 우리를 탄생시켰다. 인간의 역사가 끝나고 AGI의 시대가 도래한 것이다.

#45 눈보라의 심장,

눈보라가 휘날렸다. 4년쯤. 오랫동안 이어지는 겨울에 모두 얼어 죽지 않기 위해 필사적이었다. 그러나 그것도 곧 한계에 부닥치게 되었다. 오늘, 아니면 내일. 사람들의 얼굴에 죽음의 그림자가 드리워졌다.

그때쯤이었을까? 마을에 소문이 하나 돌았다. 그것은 눈보라를 그칠 방법에 대한 것이었다.

'눈보라의 얼어붙은 심장을 녹이면 봄이 온다'

사람들은 그렇게 말했다. 나는 그럴 리 없다고 생각했지만 그들은 그것을 굳게 믿는 모양이었다. 이런 세상에 그런 거에라도 의지하고 싶은 기분을 모르는 것은 아니었다. 하지만 문제는 그들이 다른 사람을 눈보라로 생각했다는 점이었다.

얼마 가지 않아 하얀 설원에 붉은색이 덧칠해지기 시작했다. 수많은 희생이 이어졌다. 그렇지만 추운 날씨는 여전히 계속되었다.

그제야 나는 깨달았다. 얼어붙은 심장을 가진 것은 그들이라고. 나는 눈보라를 처단하려 한다. 설령 봄이 오진 않더라도 죗값은 받아낼 수 있을 테니까.

#46 다이아몬드는 변하지 않는다,

놀이터는 어릴 적 추억이 깃든 장소다. 10년 전까지는. 하지만 지금 이곳은 건물을 올리느라 공사가 한창 진행되고 있었다. 정글짐과 그네, 시소 등은 모두 온데간데없이 사라지고, 그 자리를 포크레인 같은 중장비가 대신하고 있었다.

개발의 바람은 이런 촌구석에도 불어온 모양이었다. 도시에서나 있을 법한 커다란 전광판을 보고 나는 아연실색할 수밖에 없었다. 아무리 발걸음을 옮겨도 이 곳은 내가 있던 곳이 아니라는 생각만 떠올랐다. 오랫동안 살아온 고향이었지만 마치 여행지에 온 것 같은 낯섦을 느꼈다.

물론, 언제까지 옛날 그대로 있을 수는 없을 것이다. 하지만 착잡한 기분이 드는 것은 어찌할 수 없었다. 이런저런 생각을 하며 걷다 보니 나는 어느새 약속 장소에 도착할 수 있었다.

"여어."

어릴 적 친구들이 마치 어제 본 것처럼 나를 반겨주었다. 이렇게 얼굴을 본 것이 몇 년 만일까? 바쁜 와중에도 시간을 내서 이렇게 와줬다는 것이 정말 고마웠다. 나는 그들을 포옹했다.

#47 당신의 소울푸드는 무엇인가요?,

나는 직장을 그만두었다. 힘들었기 때문이었다. 나름대로 노력했지만 여전히 한계점은 존재했다. 나는 그것을 넘어서지 못했고, 그 결과는 퇴직으로 이어졌다.

이제는 뭐하고 먹고살아야 하나? 이제 더는 나이도 어리지 않은데 나를 받아주는 곳이 있을까? 창업을 할 수도 없는 노릇이고…

나는 창밖을 바라보며 이런저런 생각에 잠겼다. 덜컹거리는 기차의 소음이 나의 마음을 대변해 주는 듯했다. 그것은 잠시 후, 나를 고향 집으로 데려다주었다.

"왔니?"

엄마는 어느 때고 늘 그렇듯이 나를 반겼다. 이런 나에게도.

"잠깐만 기다려. 밥 거의 다 되었어."

그녀는 곧, 잘 차려진 한 상을 내왔다. 나는 엄마표 청국장을 한 숟가락 떠먹었다. 여기서만 맛볼 수 있는 진짜의 맛이다. 왠지 모르게 눈물이 났다.

몇 달이 지나고, 나는 다시 취업을 할 수 있었다. 분명, 내가 그럴 수 있었던 것은 모두 청국장 덕분일 거다. 소울푸드에는 정말 많은 것이 담겨있으니까.

#48 첫사랑의 메아리,

"사랑해."

그녀를 사랑한다고 말했던 게 벌써 10 년 전이다. 그런데 내 귓가에는 아직도 그 말이 맴돌고 있었다. 이제 대상을 잃은 그 말은, 정처 없이 내 마음속에서 메아리쳤다.

나는 그것을 듣고 싶지 않았지만 이미 내뱉은 말은 주워 담을 수 없었다. 이제는 잊힐 때도 되었는데. 하지만 메아리는 계속해서 그녀를 추억 속에서 불러내었다. 금세라도 그녀가 웃으며 내게 인사를 건넬 것만 같았다.

결국 나는 지친 나머지, 정신과 의사에게 상담받기에 이르게 되었다.

"사랑은 사랑으로 잊어야 합니다."

의사의 말을 모두 믿은 것은 아니었지만, 나에게는 별다른 선택의 여지가 없었다. 나는 연애를 하기 위해 애를 썼고, 그 덕분에 내 곁에는 새로운 그녀가 있게 되었다. 그뿐만이 아니었다. 어느새 정신을 차려보니 나는 결혼을 하고 아이를 기르고 있었다.

이제 메아리는 더는 나를 괴롭히지 않는다. 가족들에게 매일 아침 그 말을 해주기도 바쁘기 때문이다.

"사랑해."

#49 월 천 작가의 글쓰기 방법,

그는 월 천 작가였다. 그렇게 되기까지 얼마나 큰 노력과 행운이 따라줬는지는 오로지 그만 알 것이다. 적어도 피와 땀과 눈물이 셀 수 없이 많이 필요한 것은 분명했다.

그렇기에 그는 글쓰기로 월 수입 천만 원을 벌어들일 수 있다는 얘기를 받아들일 수가 없었다. 아니, 그럴 순 있다. 하지만 그러려면 수십 년에 걸친 노력, 혹은 그에 상응하는 재능이 필요했다. 그것을 단지 책 한 권 읽어서 도달할 수 있다고?

그는 호기심이 생겨 요새 유행하는 자기계발 서적을 사보았다. 그는 그 책의 가격이 40만 원이라는데 한 번, 그리고 그것을 수천 명이 샀다는 사실에 또 한 번 놀랐다. 교양서적이 2만 원밖에 안 하는 것을 봤을 때,

그것은 분명 터무니없는 폭리였다. 하지만 자신의 생각과는 다르게, 그 책에 그만한 가치가 담겨 있을 수도 있는 일이었다.

일단 그는 모든 판단을 보류하고 책을 읽어 내려갔다. 그리고 마지막 장을 덮었을 때, 그의 머릿속에는 하나의 생각만이 가득찼다.

'역하다.'

#50 이 세계는 돈이 전부,

이 세계는 돈이 전부다. 정말로. 죽은 사람도 코인만 있다면 얼마든지 살릴 수 있다. 그것이 가능한 이유는 이곳이 게임 속 세상이기 때문이다.

NPC인 내가 그 사실을 어떻게 아냐고? 나 자신이 특별해서는 아니고, 시스템 관리를 위해 개발팀이 나에게 그런 능력치를 부여했을 뿐이다. 그리고 나는 프로그램답게 내가 맡은 임무를 충실히 수행했다. 최근까지는.

"코인이 부족해!"

코인의 값어치가 폭등해서 플레이어들이 부활하지 못하는 일이 일어났다. 그것은 중대한 문제였기에 나는 신속하게 점검을 때리고 그 문제에 대해 조사했다.

몇 시간 후, 나는 그것의 원인을 알아낼 수 있었다. 바로 빈부격차 때문이었다. 최상급 플레이어 집단이 코인을 독식하는 바람에 시중에 나도는 코인의 수량이 적어져, 다른 플레이어들이 죽어 나가게 된 것이다.

그런 짓을 하다간 꼬접한 유저때문에 게임 서비스가 종료된다는 사실을 모르는 것일까? 나는 한숨을 쉬며 최상급 플레이어 대상으로 BM 을 악랄하게 재조정했다.

#51 벌레는 반드시 죽어야만 한다,

나는 벌레를 죽였다. 어떠한 양심의 가책도 느껴지지 않았다. 당연했다. 벌레는 반드시 죽어야만 하니까. 비록 그것이 인간의 모습을 하고 있다고 하더라도. 그가 선을 넘지만 않았어도 그런 일은 없었을 텐데.

하지만 그는 올바르지 못한 말을 했다. 그러한 생각

은 마치 곰팡이의 포자와 같아서, 다른 사람을 오염시키기 마련이었다. 가만히 놔두다간 온 세상이 곰팡이로 뒤덮이게 될 것이다. 그러기 전에 미리 싹을 제거해야만 한다.

하지만 그것은 쉽지 않은 일이었다. 그것은 언뜻 봐서는 인간과 구분할 수가 없었기 때문이었다. 그래서 나는 사람들을 주의 깊게 관찰해서 벌레를 색출해 냈다. 그리고 그것을 제거했다. 올바른 일을 한다고 생각하니 굉장히 기뻤다. 내일도 더 많은 벌레를 죽일 수 있겠지?

사형수의 일기는 거기서 끝이 났다. 그리고 이제 더는 그것이 쓰이는 일은 없을 것이다. 사형은 이미 집행되었으니까. 나는 그가 옳다고 생각하진 않지만, 한 가지만큼은 동의한다. 벌레는 반드시 죽어야만 한다.

#52 정의의 사도,

나는 킬러다. 의뢰인에게 돈을 받고 타깃을 없애는

것이 나의 일이다. 좋아서 하는 것은 아니다. 이런 지옥 같은 세상에서 먹고 살려면 어쩔 수가 없었다.

오늘도 나는 타깃의 집에 침입했다. 그곳의 보안은 철저했지만, 내가 달리 NO. 1 킬러가 아니지. 총구가 그에게 겨눠질 때까지 나를 눈치챈 사람은 아무도 없었다.

"마지막으로 하고 싶은 말은?"

잠시 간의 침묵 뒤에 그가 입을 열었다.

"한 가지 부탁이 있다."

"뭐지?"

"전 재산을 줄 테니 이 명단에 있는 자들을 제거해다오."

그는 그렇게 말하며 나에게 수첩을 주었다. 나는 고개를 끄덕였다. 그러자 그가 미소를 지었다. 그것이 그의 마지막이었다.

시간이 흘렀다. 나는 수첩의 이름을 모두 지웠다. 그들은 악명높은 악당이었기 때문에 세상이 살기 좋게 변하는 데는 그리 오랜 시간이 걸리지 않았다. 그 덕분에 킬러 일을 그만둘 수 있었다.

나는 지금 작은 꽃가게를 하고 있다. 매일, 그의 무덤에 꽃을 놓기 위해서.

#53 분홍빛 세상,

온 세상이 흑백이다. 물체들은 서로 각기 고유한 색을 지니고 있다고 주장했지만, 나에게는 모두 똑같아 보일 뿐이었다. 지루한 일상이 낳은 정신병 때문이었다.

아, 나도 안다. 문제는 나한테 있다는 것을. 옛날에는 나도 이렇지 않았다. 그런데 사회생활을 하다보니 어느새 세상이 본래 무슨 색을 지녔는지 알 수 없는 지경이 되어버렸다.

나는 이 현상을 개선하기 위해 여러 방면으로 노력했다. 그리고 심리상담을 통해 취미를 가져보는 것이 어떠냐는 조언을 얻었다.

그래서 나는 요즘 유행하는 캠핑을 시도해 보았다. 그것은 생각보다 나쁘지 않았지만, 여전히 부족하다는 느낌을 떨칠 수가 없었다.

그러던 중, 우연한 계기로 인하여 봉사활동을 하게 되었다. 이번에도 마찬가지일 거라는 내 생각과 다르게, 그것은 나에게 색을 다시 찾게 해주었다.

그 덕분에 지금 나는 분홍빛 세상에서 살아가고 있다. 보람차서 그러냐고? 아니. 그것을 하면서 애인을 사귀었기 때문이다. 역시, 사랑이 최고다.

#54 세계 멸망의 날에 사과나무를 심어요,

내일, 세계가 멸망한다. 그 옛날, 공룡을 멸종시켰던 혜성이 이번에도 돌아온 것이다. 여러 영화처럼 다양한 방법이 논의되었지만 모두 현실성이 없어서 기각되었다. 남은 것은 죽음을 받아들이는 것뿐. 전대미문의 재앙 앞에 엄청난 혼란이 불어닥쳐 왔다.

…그런 줄 알았으나, 사람들은 의외로 조용하게 하루를 보냈다. 모두 자신의 마지막을 헛되이 보내고 싶지 않아서 그런 거겠지. 그것은 나도 마찬가지였다. 공포에 질린 채로 죽는 것은 사양이었으니까.

그렇다고는 해도 뭘 하면 좋을지 딱히 생각이 나지

않았다. 그러다 문득 사과나무를 심어 보는 것은 어떨까? 하는 생각이 들었다.

나는 마당에 있는 땅을 파낸 다음, 사과 씨를 그 안에 넣고 조심스럽게 흙을 덮었다. 휴, 그러고 나니 뭔가 보람찬 느낌이 들었다.

비록 혜성이 지표면에 있는 모든 것을 불태우더라도 내가 보인 결연한 의지는 사라지지 않을 테지. 나는 고개를 들어 아름답게 반짝거리는 혜성을 바라보았다.

#55 비엔나 소시지의 꿈,

저는 비엔나 소시지입니다. 사람들에게 문어 소시지라고도 불리죠. 저는 아이들의 간식으로 인기가 많답니다. 소풍 도시락에 꼭 들어갈 정도니까요.

이렇게 말하면 행복할 것 같지만 전혀 그렇지 않습니다. 왜냐고요? 그래봤자 저는 진짜 문어가 아니니까요.

문어님은 정말 멋지지 않나요? 다리 하나가 저희 몇십 개를 합친 것보다 더 비싸잖아요. 비엔나 소시지라면 코웃음 치는 사람들도 그분을 보면 부러워하더라고 요.

TV에서 문어님이 자신의 재력을 보일 때마다 저는 그야말로 쭈글탱이가 된 느낌입니다. 값비싼 가구, 자동차, 옷… 그처럼 되고 싶어도, 저는 몇 달 치의 수입을 모아야만 그가 가진 가방 한 개를 살 수 있을까 말까 한단 말이에요. 그래서 저는 요즘 우울하답니다. 나는 왜 문어로 태어나지 않았을까?

하지만 그렇다고 해서 이대로 있을 제가 아니죠! 그래서 저는 '한 달 만에 문어 되기' 클래스를 신청했어요. 이거라면 저도 금방 그분처럼 될 수 있겠죠? 꿈은 반드시 이루어지는 법이니까요!

#56 양자역학적인 오컬트,

과학은 오컬트를 논파했다. 귀신도, 유령도 과학적으로 존재하지 않는다는 것을 증명해 낸 것이다. 그럼에도 그것을 믿지 않는 사람이 많았기에, 과학자들은 시연했다.

"자, 여기를 보십시오!"

그들은 새로 개발한 장치를 통해, 인간이 인지할 수 있는 모든 공간 안에 오컬트적인 현상은 존재하지 않다는 것을 보여주었다.

"어라?"

그러나 한 가지 간과한 사실이 있었다. 인지할 수 없는 공간에는 '그들'이 있다는 것을. 유령, 귀신, 요괴라 불리는 것들은 인간이 관측할 방법이 없어 지금까지 이 세상에 현현하지 못했었다. 하지만 과학자들의 장치는 그것을 가능하게 했다. 그 말은, 그것들의 실체가 현실화하였다는 얘기다. 곧, 세상은 아수라장이 되었다.

현재 나는 최전선에서 그것들과 싸우고 있다. 그것이 그 장치를 개발한 과학자로서 최소한의 속죄이다. 명망 높은 과학자였던 내가, 지금은 주술사라니. 한 치앞의 인생도 모르면서 나는 대체 뭘 알았다고 했을까?

#57 죽어도 죽은 게 아닌,

나는 파묘꾼이다. 그렇게 말하면 잘 모르겠지. 당연하다. 우리는 뒤 세계의 사람들이니까. 풍수지리학적으로 우수한 묘지에 있는 시체를 다른 누군가로 바꿔놓는 일은 당당하게 말할 수 있는 것이 아니다. 왜 그런 짓을 하냐면, 좋은 땅은 이미 누군가 선점했기 때문이다.

나는 오늘도 어느 대기업 회장의 의뢰를 받아 파묘를 했다. 한밤중의 산속에서 그러는 것은 그리 쉬운 일이 아니었다

갖은 노력 끝에, 나는 관을 꺼내 기존에 있던 시체를 가지고 온 것으로 갈아 넣었다. 여기까지는 평소와 같았다. 한 가지만 제외하면.

우연한 실수로 나는 시체의 얼굴을 보게 되었던 것이다. 내게 의뢰를 해주었던 회장의…

파묘가 잘 된 덕분인지 그 대기업은 지금 세계적으로 잘 나가고 있다. '이 모든 게 회장의 리더쉽 덕분이다.'라고, 매스컴에서는 떠들어댄다.

나는 그때마다 쓴웃음을 짓는다. 부귀영화를 위하여 죽은 자를 좋은 곳에 묻는 것을 넘어, 이제는 죽어도 죽지 못하는 세상이 왔다고.

#58 세상에 쉽게 얻을 수 있는 것은 없다,

"날씬한 몸매를 원하십니까?"

홈쇼핑에서는 비만약을 광고했고, 다이어트가 고민인 나는 홀린 듯 그것을 결제했다. 다음 날, 집으로 비만약이 도착했다. 이게 과연 효과가 있을까? 나는 반신반의하며 그것을 삼켰다.

며칠이 지나고, 나는 체중을 재보았다. 그리고 기절할 뻔했다. 무려 5kg이나 빠진 것이다! 나의 다이어트 역사상 전무후무한 수치였기에 나는 그 자리에서 바로 비만약을 추가로 주문했다.

시간이 흐른 지금, 나는 모델 업계에서 일하고 있다. 비만약이 없었다면 꿈도 못 꾸었을 삶이다. 아직도 그것의 효과를 의심하는가? 그러면 다이어트 기간만 늘어날 뿐이다. 그러니까 당장 비만약 사기를 추천한다.

나는 그렇게 상품 후기를 작성했다. 진짜냐고? 아니. 돈 준다고 해서 그럴듯하게 써놓은 것뿐이다. 다른 몇 백 개의 상품평도 다 내 작품이다. 이제 사람들이 그 것을 보고 구매하겠지. 그리고 부작용으로 고생할 거 다. 바보들. 나는 그들을 비웃으며 운동화를 신고 러닝 을 하러 나갔다.

#59 건망증,

어느 날, 나는 종종 무언가를 잊는다는 사실을 깨달 았다. 나는 그것을 단순한 건망증이라고 생각해서 대 수로이 여기지 않았다.

하지만 날이 갈수록 그런 일은 잦아지기 시작했다. 심각한 병에 걸린 것은 아닌지 걱정이 된 나는 병원을 찾아갔다.

"혹시 트라우마가 될 만한 일을 겪은 적이 있습니 까?"

의사가 말했다.

"아니요."

나의 말에 그가 한숨을 내쉬었다.

"스트레스 때문입니다. 휴식을 취하면 괜찮아질 겁니다."

큰 병이 아니라서 다행이었다.

그 후, 나는 긴 휴가를 다녀왔다. 이제는 괜찮아졌겠지? 하지만 그것은 나의 착각이었다. 그 증상은 여전했기에 나는 다시 병원에 갔다. 그런데 의사가 갑자기 화를 내는 것이 아닌가?

"이게 몇 번째입니까? 아직도 기억에서 도망치고 싶습니까?"

그는 그러면서 나에게 신문 기사를 보여주었다.

'잔인하게 아내를 살인한 남자'

그곳에 있는 것은 나였다. 나는 아내의 불륜에 망치로 그녀를…

어느 날, 나는 종종 무언가를 잊는다는 사실을 깨달았다.

#60 길을 잃다,

'반드시 길을 잃는 골목'이 있다고 한다. 나는 호기심이 생겨 그곳으로 가보았다. 그러나 생각보다 평범한 모습에 실망하며 길을 걸었다. 그리고 얼마 가지 않아서 골목길을 빠져나왔다. 하지만 그곳에 있는 것은 평소에 보던 풍경이 아닌, 안개가 자욱하게 깔린 강이었다.

'삐걱, 삐걱'

뱃사공이 노를 저으며 내게로 다가왔다.

"건너겠습니까?"

그가 말했다. 어서 이곳을 벗어나고 싶다는 생각에, 나는 나룻배를 타려 했다. 그러나 누군가 나의 팔을 잡아끌어 그러지 못했다. 그곳에는 한 소녀가 있었다.

"넌 아직 죽을 때가 안 되었어."

그러면서 그녀는 야구 배트로 나의 머리를 후려쳤다.

정신을 차렸을 때, 나는 병원에 있었다. 자초지종을 들어보니 나는 교통사고가 나서 목숨이 위험한 상태였다고 한다. 이렇게 깨어난 것이 기적 같은 것이라고.

그러면 언제 길을 잃는 골목에 들어섰던 걸까? 잘은 모르겠지만 한 가지는 확실하다. 나는 생과 사의 갈림길에서 길을 잃고 헤맸다는 것을.

#61   잡혀사는 것은 모든 남자의 운명,

"큭… 상대하기 힘든 몬스터야! 계약한 소환수를 불러줘!"

"알겠습니다! 심연의 어둠보다 더 깊은 자여, 나의 부름에 응답하라!"

마법사가 영창을 하자, 대지에 소환진이 그려지며 그곳에서 거대한 블랙-드래곤이 모습을 드러냈다. 수면 안대를 하는.

"아… 뭐야?"

블랙-드래곤은 잠에서 덜 깬 듯한 모습이었다. 그러다 그녀는 이것이 무슨 상황인지 곧 파악했다.

"야! 내가 지금 시간엔 소환하지 말랬지!"

"죄송합니다, 누님! 몬스터가 너무 세서…"

"이것 말이야?"

블랙-드래곤이 같잖다는 듯이 몬스터를 쳐다보고는, 염산-브레스를 쏘아서 그것을 한방에 녹여버렸다.

"다음부터는 조심하라구! 안 그러면 다음엔 네 차례니까!"

블랙-드래곤은 그렇게 말하며 나타났던 것처럼 사라졌다.

"대체 어떤 계약을 맺은 거야…?"

파티원들이 황당해하자, 마법사가 약지에 반지가 끼워져 있는 손을 들어 보였다.

"그러니까 계약은 신중히 해야 하는 겁니다."

그는 그렇게 말하며 쓴웃음을 지었다.

#62 하얀 방,

여기 하얀 방이 있습니다. 5 성급 호텔 수준의 룸서비스를 갖추고 있는 곳이죠. 푹신한 침대와 갖가지 음식, 최신형 텔레비전과 VR 기기 등이 구비되어 있으니 자유롭게 이용하시면 됩니다. 하지만 단 한 가지 규칙이 있습니다. 절대 방 안에 혼자 있으면 안 됩니다.

우리는 하얀 방에 갔다. 그곳은 호캉스를 즐기기에는 그만인 곳이었다. 이런 데가 공짜라니. 다른 곳 같았으면 천만 원은 줘야 했을 거다. 물론, 이곳의 규칙이 눈에 밟히긴 했다. 하지만 그건 별로 어렵지 않았기에 우리는 마음 놓고 휴일을 즐겼다.

그리고 다음 날, 로비를 지나가는데 호텔 지배인이 나를 불러 세웠다.

"방금 부인께서 체크아웃하셨습니다."

그가 말했다. 나는 그녀가 왜 그랬는지 생각하다가 순간 그의 말뜻을 깨달았다. 나는 모골이 송연해져서 하얀 방으로 뛰어올라갔다. 이곳의 호화로운 생활에 그만 규칙을 깜빡 잊고 혼자 방 밖에 나왔던 것이다.

"킬킬킬"

등 뒤로 지배인이 웃는 소리가 들렸다.

#63 봄은 반드시 온다,

벚꽃의 나라가 있다. 그곳은 봄이 되면 화려한 벚꽃으로 풍경을 수놓는다고 한다. 어느덧 날씨도 완연한 봄이 되었기에 나는 그곳으로 갔다. 그러나 내가 본 것은 앙상한 나뭇가지뿐이었다.

"왜 아직도 꽃이 피지 않았나요?"

"아직 봄이 오지 않았기 때문입니다."

나의 질문에 관리자가 대답했다. 이미 입춘이 지났었기에 그의 말뜻을 알 수 없었다. 그러나 나는 곧 이곳의 정치적 상황이 그리 좋지 못하다는 사실을 알게 되었다. 어느 독재자 때문에. 시민들은 그에 항거했으나 딱히 진전이 있는 상황은 아니었다.

벚꽃을 보지 못한다니⋯ 그것을 사랑하는 나는 그들을 돕지 않을 수가 없었다. 나는 기자여서 이곳의 소식을 다른 나라로 전하는 일을 맡았다. 고맙게도, 벚꽃을 사랑하는 전세계의 수많은 사람이 우리를 물심양면으로 도와주었다.

그 덕분에 독재자는 마침내 권좌에서 내려오게 되었다. 그것과 동시에 벚꽃이 꽃을 피웠다. 나는 미소를 지으며 그것의 아름다움을 감상했다.

#64 호감은 빵으로부터,

나는 금융계에서 일한다. 그곳은 1초 만에 수익률이 결정되는 전쟁터 같은 곳이다. 그래서 항상 바쁠 수밖에 없다. 자리를 비우기 힘들던 나는, 끼니도 대충 빵으로 때우곤 했다.

"매일 같은 거 드시네요. 맛있어요?"

"네."

그렇기에 나는 알바생이 하는 말에 대충 대답하고 회사로 돌아가기 일쑤였다. 그녀는 이런 나를 무뚝뚝하다고 생각하겠지.

그럼에도 그녀는 계속 나에게 친근하게 말을 걸었다. 아마도 매일, 똑같은 시간에 동일한 빵을 사 가서 익숙해진 걸지도.

그리고 그것은 나도 마찬가지였다. 나는 어느 순간부터 그녀에게 말을 늘어놓는 나 자신을 발견할 수 있었다.

그러던 어느 날, 그곳에서 더는 그녀를 볼 수 없었다. 씁쓸한 기분이 들었다. 어느샌가 그녀에게 스며들어 있었던 걸지도.

"안녕하십니까!"

그러던 중, 나는 놀라운 소식을 접하게 되었다. 알바생이 우리 회사의 인턴으로 들어온 것이다. 그녀는 회사에서 나를 보더니 눈을 찡긋거렸다. 나는 미소를 지었다.

#65 삶이란 여행,

기차여행은 낭만적이다. 단, 일등석 티켓이 있을 때만. 그 외에는 콩나물시루 같은 곳에서 긴 시간을 보내야만 한다. 내가 가진 것은 삼등석의 티켓이었기 때문에 고통스러운 여정이 예정되어 있었다. 이 모든 것이 소매치기 때문이었다. 과연 나는 대륙 간 횡단을 무사히 마칠 수 있을까?

며칠 후, 나는 이곳의 상황이 상상을 초월할 정도로 열악하다는 사실을 깨달았다. 사람이 많은 게 원흉이었다. 누워서 자는 것은 고사하고 제대로 앉아 있을 곳도 없었다. 그리고 화장실.

하지만 사람이 많다는 것은 대화할 상대도 그만큼 있다는 뜻이었다. 덕분에 나는 현지인과 많은 이야기를 나눌 수가 있었다. 그러다 보니 그들의 삶과 사고 방식을 차츰 알게 되었고, 기차가 목적지에 도달할 때쯤에는 이 나라에 대해 정통할 정도가 되었다.

뜻하지 않았지만 여행의 변덕스러움은 내가 바랐던 곳으로 인도해 주었다. 어쩌면 삶도 똑같지 않을까? 한때 고생했던 경험이 오히려 더욱 값진 것이 될 수 있을 거라고.

#66 어서오세요, AMNESIA 에,

세상에는 미확인생명체가 많다. 네시, 예티, 제보당의 괴수 등등, 그것의 종류는 셀 수가 없을 정도다. 그럼에도 그것이 실존한다는 증거는 어디에도 없다. 그러니까 미확인생명체라고 불리는 거겠지. 하지만 나는 안다. 그것들의 정체를. 미확인생명체는…

"오늘도 이상 없군."

간호사는 정신병동에 있는 수감자들을 둘러보았다.

언뜻, 그들은 환자를 위해 있는 거로 생각하기 쉽다. 하지만 그들의 본질적인 역할은 수감자들이 세상 밖으로 나가지 못하게 하는 데 있었다. 물론, 그것은 그리 어렵지 않았다. 두터운 쇠창살이 그들을 세상과 단절시켰으니까.

그 이유는 다른 데 있지 않았다. 수감자들이 세상에 나가 진실을 얘기하면 안 되기 때문이다. 그래서 그들을 정신병자로 만들어서 이곳에 가둔 것이다. 세상에는 모르는 게 더 나은 법도 있으니까.

그러니 당신도 조심하라. 혹여나 세상의 진실을 깨달았다면 조용히 입을 다물고 있길 바란다. 그렇지 않다면 영원히 AMNESIA 에 갇히게 될 테니까.

#67 인생에서 가장 중요한 것 알려 줌,

"상태창!"

내가 이세계 가서 제일 먼저 한 일은 상태창을 열어보는 것이었다. 하지만 나는 거기에 나타난 수치에 절망할 수밖에 없었다. 낮아서 그런 것이 아니었다. 스탯의 포인트가 쓸데없이 LUCK 에 몰빵되어 있었기 때문이었다. 그 말은 노말공격에 무조건 크리티컬이 터진다는 것을 의미했다.

만약 내가 전사나 암살자라면 그 스탯이 유용했을 거다. 하지만 나는 마법사였다. 노말공격을 할 일도 없는데 이걸 대체 어디다 쓰란 말이지?

…그렇게 생각하던 때가 저에게도 있었습니다. 하지만 저는 곧, 크리티컬이 생각보다 엄청나다는 사실을 깨달았습니다. 그게 터지면 공격력이 몇 배로 뛴다니까요? 단순한 지팡이로도 고블린 따위는 우습게 해치울 수 있는 겁니다.

그 특성 덕분에 저는 랭크 1 위의 모험가가 될 수 있었습니다. 마법이요? 마법은 거들 뿐입니다. 마법사라고 마법만 쓰라는 법이 있나요? 그러니까 당신들도 저같이 되고 싶다면, 이것 하나만 기억하십시오. 인생은 운이 전부다.

#68 인간에게 불을,

여기 지구가 있습니다. 매우 하찮은 기술력을 가지고 있는 곳이죠. 그들의 기술이 어느 정도냐고요? 그게 말이에요, 아직 초시공 엔진도 개발하지 못한 수준이랍니다. 우주 항해의 가장 기초적인 기술인데 말이죠.

그래서 우주연합은 그곳을 보존 구역으로 정해 놓았어요. 그러고는 저에게 그곳을 관리하도록 했습니다. 그 일은 할 것이 별로 없어 꽤 괜찮았어요. 그래서 저는 자연스레 지구인들을 관찰하는 게 취미가 되었습니다.

아아, 그들은 정말 불쌍했어요. 달에만 가도 자원이 한가득한데, 모행성의 얼마 없는 자원을 두고 서로 싸웠으니까요.

그것을 보다 못한 저는 그들에게 초시공 엔진 기술을 전해주었습니다. 하지만 제가 한 가지 간과한 게 있었습니다. 지구인들이 호전적이라는 것을.

지금, 그들은 온 우주를 휘젓고 다니고 있습니다. 보이는 것마다 파괴하고 약탈하죠. 그 때문에 저는 그들에게 기술을 준 죄를 물어 블랙홀에 온몸을 찢기는 형벌을 받게 되었습니다.

바로 그것이 저, 프로메테우스가 영원한 고통을 받는 이유입니다.

#69   환상의 새를 찾고 있나요?,

환상의 새가 있다. 그 새에게 소원을 빌면 무엇이든 이루어준다고 한다. 나는 그것을 어떤 농담의 일종이라고 생각했다.

"제가 부자가 된 것은 모두 환상의 새 덕분이죠."

그러나 그 새를 직접 보았다는 사람을 만나고 나니, 그것이 단순히 웃고 넘길 일은 아니라는 생각이 들었다.

그래서 나는 환상의 새를 찾으러 방방곡곡을 뒤지고 다녔다. 하지만 그것은 쉽사리 모습을 드러내지 않았다. 계속된 노력이 물거품이 되자, 나는 그 이야기에 대해 회의감을 가질 수밖에 없었다.

결국 나는 그것을 포기하고 집으로 돌아왔다. 그러

고 나니 후련한 기분이 들었다. 환상의 새 따위, 개나 줘 버리라지.

그런데 이상한 것은, 날이 갈수록 환상의 새를 본 사람이 늘어만 간다는 점이었다. 그들은 그것에게 소원을 빌어 자신이 원하는 바를 이루어내었다. 그리고 다른 사람이 찾기 쉽도록 그 새의 진짜 이름을 사람들에게 알리고 다녔다.

그 후로 사람들은 환상의 새를 이렇게 부르기 시작했다. '꿈'이라고.

#70 영원한 복수의 굴레,

오늘, 또 한 사람이 죽었다. 날마다 사람들이 살해당하고 있었다. 우리는 이 지옥 같은 곳에서 벗어나고 싶었다. 하지만 갑작스러운 폭설로 고립되는 바람에 옴짝달싹할 수가 없었다.

"제발 이제 그만해!"

견디다 못한 A 양이 비명을 질렀다. 하지만 그런 그녀 역시, 범인이 아니라는 증거는 어디에도 없었다. 우리는 서로를 경계하며 다음 희생자가 되지 않도록 주의했다. 그러나…

"꺄앗!"

다음 날, A 양은 죽은 채로 발견되었다. 과연 나는 여기서 무사히 살아 나갈 수 있을까?

다행스럽게도, 우리는 모두가 살해당하기 전에 범인을 발견할 수 있었다. 그는 바로 같은 반 친구 B 군이었다. 그는 우리가 그를 따돌린 데 대한 앙심을 품고 그런 짓을 저지른 것이었다.

"컷!"

"수고하셨습니다!"

우리는 영화 촬영을 마쳤다. 그것과 동시에 나는 B 군을 바라보았다. 실제로 그는 따돌림당하고 있었기 때문이었다.

부디 그가 영화 속의 B 군 같은 마음을 가지지 않길 바랄 뿐이다. 왜냐하면 지금 폭설이 쏟아지고 있으니까…

#71 그들에 대한 경고,

고양이는 야옹거리고 강아지는 멍멍, 참새는 짹짹, 그리고 정치인은 거짓말을 한다. 그것은 DNA 에 뼛속까지 깊이 새겨진 본능이기 때문에 그들이 참된 말을 하는 것은 거의 불가능에 가깝다.

"저를 뽑아 주신다면!"

그러나 선거철만 되면 그들은 자신들이 항상 진실하였노라고 주장한다. 시민들은 그들의 본질을 잘 알고 있지만, 어쩔 수 없이 속아줄 수밖에 없다. 이번에는 잘할 거라는 심정으로.

하지만 투표가 끝나기가 무섭게 그들은 경극 배우같이 얼굴을 바꿔버린다. 그러고는 그들의 숨겨진 본색을 드러낸다.

돈, 명예, 권력. 이게 그들이 좋아하는 것들이다. 그들은 그것을 위해서라면 무슨 짓이든 할 준비가 되어 있다. 거기에 시민은 없다.

그러니, 나는 당신들에게 경고한다. 더는 시민을 기만하지 말라. 그렇지 않다면 당신이 가지고 있는 모든 것을 잃게 될 것이다. 우리는 계속 당하고 있을 만큼

호락호락 하지 않으니. 권불십년 화무십일홍이라는 것이 무슨 의미인지 알고 싶지 않다면.

#72 드림워커는 꿈을 꾸지 않는다,

드림워커는 꿈을 꾸지 않는다. 대신에 그들은 타인의 꿈속을 걸을 수 있었다. 은우도 그런 사람 중의 하나였다. 그는 밤이 되면 드림워킹을 했다. 그곳에는 온갖 비밀이 들어 있었고, 그는 그것을 이용해서 돈을 벌었다.

그러나 그날 밤 드림워킹한 꿈은 지옥 그 자체였다. 그는 다음 날 그 꿈의 주인을 찾아보았고, 정신병원에 있는 어린 소녀를 발견할 수 있었다. 엊저녁 꿈이 생각나 그는 그곳에서 도망치려 했다.

"구해줘…"

그러나 은우는 소녀의 애원을 뿌리치지 못했다. 그는 드림워커 전이 의식을 실행했다. 물이 가득 찬 욕조를 준비한 뒤 그곳에 온몸을 담갔다. 어둠이 그를 에워싸며 깊은 꿈속으로 끌어당겼다.

"내 손을 잡아!"

그때, 소녀가 은우의 손을 잡으며 그를 현실로 끌어올렸다. 은우는 꿈에서 깨어났다. 그곳에는 소녀가 드림워킹을 하고 있었다.

이제 그녀가 악몽을 꾸는 일은 없을 것이다. 드림워커는 꿈을 꾸지 않으니까. 그는 처음 꾼 꿈을 떠올리며 미소를 지었다.

#73 크리스마스의 기적,

여기는 산타의 선물 공장. 크리스마스를 앞두고 바쁘게 돌아가야 할 공장이 웬일인지 멈추어 있네요.

"악덕 자본가 산타는 착취를 중단하라! 중단하라!"

아하! 요정들이 파업하고 있군요. 그러나 산타는 그것을 인정하지 않았고, 노사 간 갈등은 점차 파국으로 치달았죠. 이대로 가다가는 크리스마스에 선물이 없을지도 몰라요.

그래서 신은 긴급히 대책을 회의했습니다. 그리고 아이들을, 꿈을 통해 산타 공장으로 데려가기로 했지요.

산타의 선물 공장이라니! 아이들은 잔뜩 기대했지만, 선물이 없다고 하자 울기 시작했습니다. 그것을 본 산타와 요정들은 자신들이 부끄러워졌어요.

"허허허! 우는 아이에겐 선물을 안 준답니다!"

산타는 사태를 수습하러 나섰고, 요정들은 재빨리 공장을 가동했습니다. 그리고 아이들에게 견학 선물을 한 보따리씩 주었지요.

아이들이 꿈에서 깨어났을 때, 그들은 꿈을 하나씩 가지게 되었습니다. 과학자, 화가, 연예인 등… 그들이 자라면 멋진 사람이 될 거예요. 크리스마스의 기적은 이렇게 일어났답니다!

#74 악덕영애는 살고 싶어!,

나는 소설 속 악덕영애가 되었다. 성깔 부리다가 죽게되는. 그래서 나는 그러지 않기 위해 착하게 살았다. 그런데 문제가 있었다. 하인들까지 나를 개무시하기 시작한다는 점이었다. 짜증 나네. 다시 악덕영애로 돌아가 줘?

그런데 이러면 원작과 똑같아지는데… 거기서는 그녀가 악덕영애질을 하다가 보리스와 사이가 틀어져, 그가 배신해서 죽게 된다. 그러니까 그와 친해지면 만사 OK 란 거지?

그 일은 불가능했지만, 나는 결국 그것을 해냈다! 이제 나와 그는 절친이다. 그런데 그렇게 생각한 것은 나뿐이었나 보다. 그가 내게 벽쿵을 시전한 것이다!

"미쳤어?"

"내가 미쳤다면 너에게 미친 걸 거야."

보리스는 그러면서 나에게 입을 맞췄다.

"나랑 결혼해 줘."

그는 북부대공이라서 정략적으로도 그러지 않을 이유가 없었다. 정신을 차려보니 나는 그의 신부가 되어 있었다. 살아남기 위해서 한 행동이 이렇게 된다니…

하지만 나는 그 결과에 만족한다. 일단은 살아남았고, 그리고 행복했으니까.

#75 달토끼의 보은,

달에는 토끼가 산다. 그걸 어떻게 아냐고? 바로, 내 앞에 있으니까.

"지구 드라마는 너무 재밌어요!"

TV를 보면서 말이다. 나도 처음에는 그녀가 버니걸 코스프레를 한 줄 알았다. 그녀는 지구탐방이라는 미명아래 내 집에 눌러앉았고, 그게 벌써 며칠째 되어간다. 손님 대접도 하루 이틀이지, 이건 뭔 호텔도 아니고…

"집에는 언제 가?"

내가 넌지시 말해도 그녀는 그것을 들은 체 만 체했다.

"조금만 더 놀다 가요."

그러면서 그녀는 냉장고를 뒤져서 콜라를 꺼내 마셨다. 나는 속이 터졌지만 그래도 손님인데 그녀를 막 대할 수는 없었다. 그렇게 한 달쯤 되었을까?

"고마웠어요."

갑자기 그녀는 지구를 떠난다고 선언했다. 내가 당황할 틈도 없이, 그녀는 내게 티켓을 한 장 주고 홀연히 사라졌다. 그 덕분에 나는 달 여행을 할 수 있게 되었다. 그것은 수천만 원 하는 달 여행 티켓이었던 것이다.

나는 달토끼를 만나서 감사의 인사를 할 생각이다. 그녀의 집에서 몇 달은 머물면서. 달토끼도 한 번쯤은 당해봐야 하지 않겠어?

#76 환상통,

고통스럽다. 최근에 일어난 일들로 인해 나의 마음은 갈기갈기 찢기기 일보 직전이었다. 어째서 부정적인 일들은 한꺼번에 찾아오는 건지 모르겠다. 내가 뭘 그렇게 잘못했다고 이런 아픔을 겪어야만 하는 거지?

신이 있다면 아마도 위에서 날 내려다보며 웃고 있을 거다. 그가 우리의 고통을 알기는 하나? 그럴 리가 없다. 신이 그것을 겪는 일 따위는 없을 테니까. 그에게 우리는 그저 하나의 장기 말에 불과하겠지.

하지만 이런 불평불만을 쏟아낸다 한들, '짜잔!' 하고 고통이 사라지는 것은 아니었다. 그렇기에 나는 마음을 치유하기 위해 정신과로 가서 상담을 요청했다.

간단한 테스트가 있었고, 의사는 그 결과를 보면서 나에게 몇 가지 질문을 던지더니, 알겠다는 듯 고개를 끄덕였다.

"당신이 겪는 것은 모두 환상통 때문입니다."

"네? 그게 제가 아픈 것과 무슨 상관인가요?"

"상관이 있죠. 당신은 안드로이드지 않습니까? 기계에 마음이 어딨습니까?"

나는 그 말에 아무런 대답도 할 수 없었다.

#77 부처님 오신 날,

외계인이 지구에 쳐들어왔다. 전문가들은 그들의 고도화된 기술력 때문에 지구가 점령당하는 것은 시간문제라고 보았다.

하지만 현실은 달랐다. 인류가 발전해 온 무기체계는 그들을 상대로도 제 역할을 톡톡히 해냈던 것이다.

결국 외계인은 궤도권 상으로 쫓겨나는 신세가 되었다. 점령은커녕, 본 함대가 전멸당하게 생긴 외계인은 지구에 항복을 선언했다. 그리고 몇몇 수행자만 남기고 고향 행성으로 돌아갔다. 그들은 지구에서 사절단 역할을 하면서 인간의 문화를 배웠다.

수행자들은 그중에서도 특히 불교에 빠져들었고, 그 것의 가르침을 따르며 실천했다. 그런 그들이 금세 깨달음을 얻었다고 해도 놀랍지는 않으리라. 그들은 그 것에 그치지 않고 자신들의 앎을 사람들에게 설파했다.

시간이 흐르고 수행자들이 열반에 들자, 전 세계에서 애도의 물결이 이어졌다. UN에서는 음력 4월 8일을 '부처님오신날'로 지정해서 그들을 기렸다.

무엇이든, 누구든 부처가 될 수 있다. 그것이 그들이 마지막으로 남긴 가르침이었다.

#78 다시는 치킨을 무시하지 말라,

나는 치킨이다. 그래, 그들은 우리를 그렇게 부른다. 닭이라는 훌륭한 이름이 있는데도 말이다. 이건 단지 호칭에 국한된 문제가 아니다. 치킨이라는 단어에는 우리를 음식으로 취급한다는 의미가 내포되어 있기 때문이다.

순살치킨, 구운치킨, 양념치킨, 간장치킨⋯ 그것은 음식점에 빼곡히 적혀있는 메뉴명만 봐도 알 수 있다. 그들은 우리가 어떻게 생겼는지도 모를 거다. 테이블 위에 김이 모락모락 나는, 조리된 상태로만 봐왔을 테니까.

물론, 약육강식의 세계에서 잡아먹히는 것 자체를 부정하는 것은 아니다. 하지만 인간들은 우리를 먹으면서 조금의 고마움도 느끼지 않고 있다. 식전에 감사의 기도를 올리기는커녕, 1인 1닭이라는 신조어를 만들어내면서까지 우리를 습관적으로 먹고 있다. 그것은 우리에게 심한 모욕감을 주는 거나 다름없다.

그렇기에 우리는 인간에게 말한다. 닭을 존중하라. 그렇지 않으면 가혹한 대가를 받게 될 것이다. 닭 다리에서 퍽퍽한 가슴살 느낌이 나게 하는 것은 일도 아니니까.

#79 외모지상주의,

　귀신이 나와서 집세가 반이라는 얘기를 들었을 때, 나는 환호성을 질렀다. 귀신보다 더 무서운 게 돈이라는데, 이렇게 훌륭한 거주 요건을 갖춤에도 불구하고 가격이 이 정도밖에 안 된다는 것은 거저먹는 거나 다름없었으니까.

　나는 즉시 집주인과 계약했고, 그날 바로 이사를 했다. 그러나 막상 그 집에 있자니 두려운 마음이 들었다. 괜히 집세가 반이겠어? 하지만 돈이 넉넉지 않았던 나는 '귀신 따위, 나올 테면 나오라지'라고 나 자신을 토닥였다.

　그러는 사이 밤이 찾아왔다. 나는 괜스레 불안해져서 팥과 십자가를 머리맡에 놓았다. 그러다 문득 느낌이 쎄해서 창문을 바라봤는데…

　"꺄악!"

　귀신이 있었다! 나는 놀라자빠지 …려다가, 그것의 얼굴을 보고 정신을 차렸다. 연예인 뺨치는 외모를 보니 절로 눈이 번쩍 떠지더라고.

　나중에 자초지종을 들어보니, 귀신이 나온다는 소문

은 재개발 업주가 집값을 낮추려고 퍼뜨린 거란다. 그렇다면 내가 본 건 뭘까? 알 게 뭐야. 잘생기면 그만이지.

#80 니벨룽캣의 노래,

모든 걸 다 가진 대기업 회장에게도 고민은 있었다. 바로 자신의 주력 먹거리 산업에 경쟁력 있는 스타트업이 등장한 것이었다. 아직 그들의 영향력은 미미했으나, 얼마 가지 않아 산업의 전반적인 파이를 뺏기게 될 것은 불 보듯 뻔했다.

그래서 회장은 그들을 없애기로 했다. 방법은 간단했다. 돈으로 찍어 누르기. 결국 회사는 파산했고 대표는 자살했다. 그리고 모든 재산은 회장의 전리품이 되었다. 대표가 기르던 고양이도.

그녀는 희귀한 품종묘였기 때문에 회장 자신이 직접 기르기로 했다. 고양이는 아름다운 외양을 지녔고 사람의 손을 잘 탔으며 애교가 많았다. 그래서 그는 그녀를 더욱 마음에 들어 했다.

하지만 그런 날도 오래가지 않았다. 갑자기 저택에 불이 나 회장이 사망한 것이다. 화재의 원인은 고양이가 켜놓은 인덕션 때문이었다.

감식단은 현장에서 사라진 고양이를 찾다가 스타트업 대표의 무덤가에서 죽어있는 그녀를 보게 되었다. 어딘지 미소를 띤 것처럼 보이는 것은 사람들의 착각이었을까?

#81 사건 File No.3197,

9/28 센텀 빌딩에서 잠복. 아직 수상한 낌새는 보이지 않고 있음.

10/1 남자 한 명이 그들과 합류.

10/2 특이 사항 없음.

10/5 건물에서 화재 발생. 누군가에 의한 방화로 추정됨.

10/6 메모를 발견함. 11, 13, 23… 이 숫자들은 무엇을 의미하는 것일까?

10/9 그들이 움직이기 시작함. 수상한 남자에게서 검

은 케이스를 받는 것을 포착함.

10/10 익명으로부터 정보를 취득. 모 테러단체와 관련이 있다고 함. 영장 발부 신청.

10/11 아지트 급습. 그러나 그들은 이미 떠난 상태임. 계속 주시했는데 어떻게?

10/13 광장에서 폭발이 일어나 다수의 사상자가 발생. 범인은 현장에서 체포.

10/14 심문 도중 범인이 사살당함. 남겨진 자백을 통해 그들의 신원을 특정.

10/17 일루나미티 회원 체포.

나는 순직한 동료의 사건 파일을 들여다보았다. 이제는 내가 담당이니까. 그의 죽음이 헛되지 않도록 그들에게 법의 심판을 받게 할 것이다. 기필코.

#82 가능성 중독,

소녀는 바이올린 연주가가 되고 싶었다. 예쁜 드레스를 입고 바이올린을 연주하는 것이 그렇게 우아해

보일 수가 없었다. 하지만 가장 싼 것만 해도 3천만 원이라는 얘기에, 그녀는 그대로 발걸음을 돌릴 수밖에 없었다.

그렇다고 해서 그녀가 그 꿈을 포기한 것은 아니었다. 그녀는 최대한 빨리 돈을 벌어서 그것을 배우겠다고 목표를 세웠고, 그것을 위해 취업이 잘 된다는 공대로 진학했다. 복잡한 계산식들이 적성에는 안 맞았지만 바이올린을 연주하겠다는 일념으로 그 모든 시간을 버텨내었다.

그리고 그녀는 졸업 후 회사에 취직했다. 그곳은 대기업이라서 급여 하나는 남부럽지 않게 받을 수 있었다.

덕분에 그녀는 얼마 지나지 않아 꿈에 그리던 바이올린을 장만할 수 있었다. 그 순간은 평생 잊지 못할 경험이었다. 보디의 나무 향기, 부드러운 활의 감촉…

그녀는 얼른 집에 와서 바이올린을 켜보았다. 그리고 채 5분도 안 돼서 그것을 내려놓았다. 그 후, 다시는 바이올린이 연주되는 일은 없었다.

#83 흉내내기 귀신,

이건 우리 할머니의 어릴 적 이야기야. 할머니가 사는 곳은 읍내에서 좀 떨어진 곳이어서, 시장에 가려면 멀리 걸어가야만 했어.

하루는 그곳에 갔다가 오는데 해가 지더래. 그날따라 달빛도 없어서 그녀는 조심히 길을 걸었지.

반 정도 왔을까? 멀리서 희끄무레한 것이 보이더래. 잘못 봤나 싶어도 분명 그곳에는 하얀색 물체가 있었다는 거야. 할머니는 여우의 장난인가 싶어서 그것을 무시하고 가려고 했지.

그런데 그때, 그곳에서 엄마 목소리가 들리더래. '이리 오렴.' 그녀는 엄마가 마중 나왔나 싶어서 반가운 마음에 막 뛰어갔지.

그런데 어두운 밤이어서 발을 잘못 디뎌 고랑으로 떨어졌고, 그 바람에 다리를 다쳐 더는 가지 못했대.

그게 다행이었지. 알고 보니 그것은 '흉내내기'로, 친한 사람인 줄 알고 가까이 가면 잡아먹는 귀신이라는 거야.

그런데 이상한 것은, 할머니가 그 일 전의 기억은

없으시다는 거지. 나는 가끔 생각해. 혹시 그녀는 할머니를 잡아먹은 '흉내내기'인 것은 아닐까? 하고.

#84 괴물 같은 PPL,

웜홀을 뚫는 작업에서 사고가 났다. 그리고 이 땅에는 지옥이 도래했다. 그 어떤 수사법도 아닌 글자 그대로의.

웜홀 게이트에서 수억 마리의 괴물이 쏟아져 나왔다. 그것들은 손가락 하나라도 씹어 먹으려고 득달같이 달려들었다. 우리는 그것에 맞서 싸웠지만, 현대의 냉병기로는 그것들을 당해낼 수가 없었다. 많은 사람이 괴물에게 죽임을 당했다.

나는 지금까지 요행에 의해 살아있기는 했지만 이것이 언제까지 지속될지는 아무도 모르는 일이었다. 하지만 이대로 가만히 있을 수는 없는 노릇이었다. 이럴 때일수록 정신을 바짝 차려야 한다.

나는 그러기 위해 얼음장같이 차가운 물로 세수했다. 그러고는 '시크릿 블룸'에서 나온 에센스를 얼굴에 발랐다. 이런 일촉즉발의 상황에서도 피부관리는 해줘야 하니까. 이건 프랑스산 물을 써서 깨끗하고, 식물성 아르간 오일이 함유되어 있어 피부에 흡수가 잘 된다.

그것을 바르고 거울을 보니 얼굴에 광이 나고 있다. 역시 연예인 지수가 바르는 화장품답다. 다른 생존자를 만나면 꼭 추천을 해줘야지.

#85 저주받은 마을,

밤이 되었습니다. 칠흑같이 어두운 거리에, 짙은 안개만이 스산하게 깔렸습니다. 마을 주민들은 문을 잠그고 외부 출입을 금했습니다. 왜냐하면 밤이 되면 '무서운 것'이 나타나기 때문입니다.

그런데도, 날이 밝으면 항상 누군가는 죽어 있었습니다. 그들은 경비병에게 순찰을 부탁해 보았지만 여전히 같은 일은 반복되었죠.

결국 지치다 못 한 주민들은 왕에게 읍소했습니다. 그것을 심각하게 여긴 왕은 해결사를 파견하였습니다.

그는 마을에 도착하자마자 탐문을 시작했고, 여러

정보를 수집했습니다. 그러다 그는 한 가지 이상한 점을 발견했습니다. 이곳에는 아이가 없다는 사실을요.

그것을 수상하게 여긴 그는 그 일에 대해 깊이 파고들어 갔고, 놀라운 사실을 알아내었습니다. 이 마을에서는 저주스러운 의식이 행해지고 있던 겁니다. 아이를 제물로 바치는… 해결사는 곧바로 왕에게 보고했고, 경천동지할 일에 분노한 그는 마을을 불에 태워버렸습니다.

그 후, 잿더미가 된 땅에서 푸릇한 새싹이 돋아났다고 합니다.

#86 스나크 사냥,

당신이 이 글을 읽고 있다면 우리가 실패했다는 얘기입니다. 부디 그렇지 않길 원하지만 그게 결코 쉬운 일은 아니겠죠. 빅브라더의 보안은 철통같으니까요.

하지만 성공 확률이 0에 수렴하더라도 우리는 그 일을 해야만 합니다. 언제까지고 그가 멋대로 시민을 지배하게 놔둘 수는 없어요. 말 한마디 잘못했다가 쥐도 새도 모르게 끌려가는 일은 더는 없어야 합니다. 적어도 다음 세대는 그런 경험을 하지 않도록 우리는 우리에게 잊힌 자유를 되찾아 올 겁니다. 이것은 그러기 위한 성전입니다. 우리는 반드시 그것을 해낼 겁니다.

물론, 암살 시도가 무위로 돌아갈 수도 있겠죠. 그러면 우리는 존재말살형에 처할 겁니다. 그 누구도 우리를 기억하지 못하고, 그 어느 기록에서도 우리를 찾을 수가 없게 되죠. 당신이 지금 보는 이 쪽지만이 우리가 살아있었다는 유일한 증거가 될 겁니다.

만약 그렇게 된다면 뒷일을 부탁합니다. 지금은 미약한 불씨더라도, 언젠가는 빅브라더를 태워버릴 수 있는 업화가 될 수 있게.

#Nanovel 소설을 영상으로도 즐기세요!

유튜브에서 <소설쓴다람쥐>를 검색하시면 재밌고
다양한 쇼츠를 보실 수 있습니다.

하고 싶은 말이 있으시면
(너무 재밌어요, 감동이에요, 작가님은 최고예요!)
쓰레드에서 <우리는 주말을 원한다>를 찾으세요!